絵本　とかけて
どうも留守のようだ　ととく
こころは　なんぼ呼うでも開かんばい
（なんぼ読うでも飽かんばい）

イラスト　高平歓治

蛙の相撲　とかけて
梅雨季の野外イベント　ととく
こころは　行事には合羽が要る
（行司には河童が居る）

鳥の法廷　とかけて
焼いてる最中のパン　ととく
こころは　**生地が膨張しとる**
（キジが傍聴しとる）

山笠七流《ながれ》　とかけて
新刊本を進呈する時　ととく
こころは　寄贈て書いとる
（競うて舁いとる）

やいと　とかけて

銀行員を受け入れた赤字会社　ととく

こころは　幹部に据えて直す

（患部にすえて治す）

マリネ　とかけて
発情したメスの鳴き声　ととく
こころは　オスが聞いて駆け寄る
（お酢が効いて掛けよる）

チンチン電車　とかけて
スマホに替えた高齢者　ととく
こころは　慣らしてから発信しとる
（鳴らしてから発進しとる）

文芸　博多なぞなぞ◉保坂晃孝

長め（眺め）のはじめに

令和　とかけて　**真夏の祭りで大もうけ**　ととく
こころは　**酷暑の出店で氷菓ば売る**
（国書の出典で評価ば得る）
若久亭団地

お笑い芸人の「ねづっち」がテレビではやらせた〝なぞかけ〟をご記憶でしょうか。会場のお客さんから〝題〟をもらってしばし思案。やがてしたり顔で「ととのいました」ととといてみせた。面白かったら盛り上がり、笑いとともに拍手が送られた。ちなみに「ととのいました」はその年の「流行語大賞」のトップテンに選ばれた。

この
○○○○　とかけて　△△△△　ととく
こころは　□□□□

という形式の〝なぞかけ〟は三段なぞと言われ、こころがかかっているか、どちらも共通であれば成立する。これに対し、「博多なぞなぞ」は書き出しの句にあるようにこころが複数（2ヵ所以上）かかり、しかも二つの文意が離れているほど秀句とされる。さらに博多言葉が入っている方が好ましいとも。自らいろんな条件を付けて楽しむ点でマゾヒスティックな言葉遊びと言えなくもない。
大正から昭和初期が盛んな時期だったようで、当時、名人といわれた面白斎利久さん（石田庄平、1885─1955）の作品の中から、現代人にも分かりやすい句を紹介しておきたい。

春遊び　とかけて　**魚市場**　ととく
こころは　**コチ フクとタコもあがる**
（東風吹くと凧も揚がる）

そりゃあなんだい、と言いたくなるような現実にはありえない題（難題）も出される。

地獄の銀行　とかけて　**廊下のとばしり**　ととく
こころは　**飛どりゃ縁まで洗う**
（頭取や閻魔であろう）

〝とばしり〟は飛び散る水のことで、遠くなった小学校時代の、雨の日のぬれた渡り廊下を思い出す。と同時に頭取が閻魔さまとはよく言ったものだ。

＊

筆者も会員の「博多謎々の会」は3カ月に1回、課題（10題）をといた句を持ち寄り、互選で入選作を決めている。第105回例会から上位句を挙げてみたい。

◉天賞
絵本　とかけて　**どうも留守のようだ**　ととく
こころは　**なんぼ呼うでも開かんばい**　※呼うでも…呼んでも　開かんばい…開かないよ
（なんぼ読うでも飽かんばい）　※読うでも…読んでも　飽かんばい…飽きないよ
若久亭団地

◉地賞
牢名主《ろうなぬし》　とかけて　**議員にも出産奨励**　ととく
こころは　**在任でも子は持て**
（罪人でも強面）　吟田李舞

◉人賞
天神ビッグバン　とかけて　**貧乏な聖人との買いもん**　ととく
こころは　**高僧に立て替えとる**　※とる…ている
（高層に建て替えとる）　江戸　紫

面白いと思ってもらえたらありがたいし、なーんだぁこれくらい私にもできるとなれば頼もしい。

＊

始めから読んでも後ろから読んでも同じ—の言葉遊びの「回文《かいぶん》」などにも作り方があるように「博多なぞなぞ」にもそれがある。出された「課題」に対し、「とき」「こころ」と順序よくとこうとしてもとっかかりがなく容易に作れるものではない。ここでは「とき」をひとまず横に置いておき、「こころ」から先に考えてみたい。つまり、「課題」から思いつく言葉とその同音の言葉（同音異義語）を書き出してみる。記憶ばかりではなく、国語辞典やパソコンも動員したい。書き出した言葉を組み合わせて同じ言い回しで、「課題」に沿った文章と別の意味の文章をひねり出すのだ。「とき」は別の意味の文章に合ったものを考えればいい。ひらめきであっさりできる場合もあるが、極めてまれである。

「博多謎々の会」例会の上位句を紹介した際、雅号（ペンネーム）を書き添えた。雅号の使用も戦前に倣ったものだが、庶民の遊びらしく遊び心が先行し、高尚なのは少ない。若久亭団地は、実は筆者で、博多なぞなぞを始めた時、福岡市南区の若久団地に住んでいたという単純な理由から。吟田李舞さんは「てんてこ舞い」の博多ことば「ぎんだりまい」をもじった当て字。彼は博多にわかの大ベテランでもあり、このほか新聞投稿（意見、世相、川柳など）や講演などで忙しい。江戸紫さんはただ1人の女性会員で、武蔵野ゆかりの染と花菖蒲の品種の名にちなんだそうだ。漢字検定1級の才人でもある。初期、多作で知られたのが「一寸貸夢」（ちょっとタイム）さん。

ここでは句は掲載できなかったが、田中天龍さんと上野好演さんは博多にわかと二刀流だ。水城亭行蔵さんは太宰府市在住で、国指定特別史跡の水城と、学生時代は水泳選手であったことから「水切って行くぞう」をかけた由。宵井さんは入会する時、これから始めるという意味の「よーいドン」が頭に浮かび、宵と井の漢字を当てたという。むろん、本名で投稿している会員もいる。

＊

博多なぞなぞは昭和に入って一時途絶えるが、最も盛んだったのはいつ頃だろうか。先に触れた名人の石田庄平（面白斎利久）さんの子息で、戦後、復活に取り組むとともに１９７９（昭和54）年、利久さんの作品を中心にまとめた『博多なぞなぞ』（西日本新聞社刊）を出版した石田順平さん（１９１５〜92）は同書の中で次のように記している。

—私が物心ついた大正10（1921）年頃は父利久が最も盛んに謎の句作や活動を行っていた頃で、一般的に見ても謎々の全盛期時代ではなかっただろうか—。

さらに博多及び近郊には数グループがあり、回り当番で句会を開き、腕を競っていたとも。順平さんも末乱軒紫蘭（みらんけんしらん）の雅号で、博多なぞなぞをよくしていた。

春　とかけて　**新酒の発酵**　ととく

こころは　**容器の中に粕実がいっぱい**

（陽気の中にかすみがいっぱい）

＊

ところで、博多なぞなぞも属する〃三段なぞ〃とはいつごろ出現したのだろうか。なぞなぞ研究の第一者の鈴木棠三《とうぞう》さん（1911～92）は著作『なぞの研究』（東京堂出版刊）で、「享保期（1716～36）に入って、三段なぞを載せた本が俄かに続出した」とし、発生は「元禄（1688～1704）の後あたり」との見方。次いで幕末に近い文化・文政期（1804～30）が第二の隆盛期。明治に入っても政治、社会、戦争などをテーマにブームを呼んだものの、マンネリから明治30年代には衰退したという。

以上のことは江戸（東京）を中心にした流れで、博多ではいささか異なる。博多でなぞなぞの会が開催された際、作成された巻軸（巻物、秀作を書き連ねたもの）で最も古いのは、私が知る限り、福岡市博物館の展示で見た1903（明治36）年のそれである。

手元には、先の石田順平さんがまとめた『博多謎々百句集　明治二、三十年代』（写し）がある。これには、

月の吸い物　とかけて　入江の燈台　ととく
こころは　湾内を照らす

などが記録されている。しかし、「月の吸い物」は博多なぞなぞの特徴の一つである〝難題〟という点はクリアしているが、「湾内」が「椀内」にかかっているだけで、2カ所以上という要件を満たしていない。こうしてみると、博多なぞなぞは江戸、あるいは明治初期に伝わった三段なぞが、句会などをしているうち、2カ所以上かけるなどの〝ローカルルール〟が生まれ、中央で衰退する中で、大正期に頂点を迎えたのではないだろうか。

ちなみに三段なぞ以前は「○○○○はなんぞ」と問う「二重（二段）なぞ」であった。〝なんぞ〟が〝なぞ〟に変化したのかもしれない。これは古くから上流階級の遊びだったようで、室町期末の後奈良天皇（在位1526～57）には著作『後奈良院御撰何曾』がある。

「戀（恋）には心も言もなし」の問いには「絲（糸）」（答え）。戀から心と言をなくせば絲というわけだ。「ゆきの下よりとけて水のうへそう」の問いには「弓」（答え）。ゆきの下の〝き〟がとけてしまえば残るのは〝ゆ〟、それに水の上の〝み〟を添えれば〝ゆみ〟、つまり「弓」となる。確かになぞなぞは文芸だ。

＊

ところで、『福岡歴史探検』（福岡地方史研究会編、海鳥社刊）で、福岡（黒田）藩について詠んだ江戸川柳が目に留まった。江戸の庶民がどう見ていたかが分かり興味深い。

江戸の関九十四万でおっふさぎ

黒田五十二万石の江戸上屋敷は奥州街道の起点で、今は中央官庁が建ち並ぶ霞が関にあった。道を挟んで広島（浅野）藩四十二万石の上屋敷。二つの大大名の石高を合わせると九十四万石。どちらの上屋敷も関所を覆うように大きく、威圧を感じたのだろう。

関一つへだてて羽箒鍋の底

一方で諧謔も忘れない。浅野家の紋「鷹羽の打ち違い」を鳥の羽で作った羽箒（はぼうき）に、黒田家の紋「黒餅」（一般には「藤巴」が知られているが、紋はいくつかあり、その一つが真っ黒の丸い紋で黒餅、白餅と呼ばれた）で、煤けた鍋の外底に見立てているのだ。

この諧謔（滑稽、冗談、皮肉、ユーモア）や批判精神は博多なぞなぞにも通じる。軽い笑いを誘う点でも同じである。

落語や漫才、そして博多に伝わる博多にわかもそうだが、〝芸能〟の笑いは開放的で、思いっ切り大口を開けて笑うときもある。それに比べ〝文芸〟の博多なぞなぞ（川柳も）はクスっとした笑い、へぇーと感心した笑いであって、どちらかというとこもったような笑いではなかろうか。

混沌とした現代社会。〝笑い〟の需要は強い。かつての喜劇（喜劇人）やコメディー（コメディアン）は映画やラジオを通して真面目に笑わせてくれた。今はテレビ出演の芸人、タレントが自ら笑い、スタジオの笑いで増幅、視ている人々を笑わせようとする。みえみえでどうもなじめない。

博多なぞなぞの作句は簡単とは言えないが、うまくできた時はうれしい。また、それを読んでくれた人の口から白い歯がのぞくと一層うれしい。博多でも今はマイナーであるが、伝統の文芸、作る側になっていただければありがたい。

文芸　博多なぞなぞ◉目次

いまどきのこと（時事）

※以降の句は筆者（雅号・若久亭団地）の拙作です。苦しいものも少なくありません。ご容赦ください。

令和　とかけて　**真夏の祭りで大もうけ**　ととく
こころは　**酷暑の出店で氷菓ば売る**　※ば…を
（**国書の出典で評価ば得る**）

《２０１９年5月1日午前0時、皇太子が天皇に即位され、元号も平成から令和に改められた。生前譲位は約２００年ぶり。「令和」の採用は１カ月前に発表され、日本最古の歌集『万葉集』からの出典であることも分かった。国書からは初めて。とくに太宰府市は大いに沸いた。『万葉集』の中で大宰帥《そち》・大伴旅人が天平２（７３０）年正月13日に自宅で開いた「梅花の宴」が典拠だったからだ。そのくだりを書き残しておきたい。「時に初春の令き月、氣淑《よ》く風和《なご》み、梅は鏡の前の粉を披《ひら》き、蘭は珮の後の香を薫らす」（『新訓万葉集上巻』、岩波文庫）。出典については概ね好評だったが、令は命令、冷たいなどを連想させるという声も。近年は夏、35℃を超える日も珍しくない。アイスクリームなど冷たいものが飛ぶように売れる》

年金　とかけて　**百円ショップで買った老眼鏡**　ととく
こころは　**器具は精度がもつかどうか**
（**危惧は制度がもつかどうか**）

《年金受給者が増える一方で、それを支える労働年齢層は減少。危惧は募るばかりだ。おまけに積立金をリスクの大きな株式投資に回しており、おーい、本当に年金は大丈夫かよ！》

マタハラ　とかけて　**酒好きの大学教授**　ととく
こころは　**中洲におらんで講義ばしんしゃい**　※おらんで…いなくて　ば…を　しんしゃい…しなさい
（泣かずにおらんで抗議ばしんしゃい）　※おらんで…叫んで

《そこのクラブで飲んでいる大学の先生、美人のホステスさんばかりに笑顔を振りまかないで、世間に向かって「マタハラ（マタニティハラスメント、妊婦に対するいやがらせ）は違法。許されない」と声を上げたら。妊婦さんもきっと意を強くするはずだ》

イクメン　とかけて　**仕事熱心な消防士**　ととく
こころは　**無休で火事と戦うどる**　※戦（たたこ）うどる…戦っている
（無給で家事と闘うどる）　※闘（たたこ）うどる…闘っている

《イクメンとは積極的に子育てに参加する男性のこと。近年は「育児介護休業法」に基づいて育児休暇をとる男性を指すことが多い。休業期間は無給となるが、雇用保険から育児休業給付金が出たり、企業によっては減額でとどめるところもある。しかし、男性の取得率は1割に満たない。変化の速さに付いていけないのが日本のサラリーマン社会のようだ》

ドローン　とかけて　**投票ば頼まれても**　ととく
こころは　**落ちるなら棄権（聞けん）ばい**　※ばい…です
（墜ちるなら危険ばい）

《2015（平成27）年4月、首相官邸の屋上にドローン（無人飛翔体）が落ちているのが見つかり大騒ぎに。何日も経つのに気付かなかった警備はあまり問題とならず、将来、応用範囲が広がって経済的にも期待されるドローンそのものを危険視。航空法が改正され、禁止区域や届け出区域がつくられた。失政を隠す泥縄式の立法は〝聞けん〟ばい》

振袖　とかけて　**気難しい電動草刈り機**　ととく
こころは　**晴れの日は回転せずで切れなかった**
（はれのひは開店せずで着れなかった）

《2018（平成30）年1月8日の「成人の日」は〝はれのひ事件〟で大騒ぎとなった。着物のレンタル・販売会社の「はれのひ」が、一部を除き閉店。この日振袖で式典に参加するつもりだった二十歳の女性が着用できなくなったのだ。予想もしない事態にメディアも同情。大々的に報じた。その後、会社は倒産。店で預かっていた振袖は返却されたが、レンタルの預託金は戻る保証はない。あきれてモノが言えない。草刈り機だって機械、故障もするでしょう》

改憲　とかけて　**シャッター通り**　ととく
こころは　**窮状の商店は自営たい**　※たい…です
（九条の焦点は自衛隊）

《自主憲法が党是とはいえ、歴代の自民党総裁（ほとんどが総理大臣）は改憲に慎重だったが、長州（山口県）出身の安倍晋三さんは何が何でも九条を変えようと必死豆炭（若い人はわかるかなぁ）の形相。森友学園、加計学園などの問題はなんとか切り抜けたが、果たしてどげんなりますか。こうした間にも各地にシャッター通りが増加、零細業者に危機が迫っている》

希望の党　とかけて　**学び舎の改築祝賀会**　ととく
こころは　**建て直した自校に乾杯しとう**　※しとう…している
（立てなおした自公に完敗しとう）

《時の流れは速く、もう時事とは言えないかもしれないが、2017（平成29）年10月10日施行の衆議院選挙で、台風の目となりそうだったのが、「希望の党」だった。直前の都議選で「都民ファースト」を率いて自民党をけ散らした小池百合子都知事が国政進出を狙って結成したが、合流するとみられていた民進党議員の一部を排除すると発言。これがきっかけとなり、民進党のリベラル派が立憲民主党を結成。結局、スクラムを組み直した自民・公明に惨敗した。新しい校舎が完成とはめでたい》

女大名　とかけて　**その動物はなんじゃ**　ととく
こころは　**言い名をトラと申す**
（井伊直虎と申す）

《2017年のNHK大河ドラマのタイトルは「おんな城主　直虎」。時は戦国時代の真っただ中。織田信長が台頭してくるころ、遠江（現静岡県浜松市付近）の井伊谷を領していた井伊家の女領主・直虎の活躍を描いた。直虎は男だったとする説もあるが、ドラマとしては女性の方が面白い》

「君の名は。」 とかけて **足並みの乱れが気になるＥＵ** ととく
こころは **同盟の栄華から反省期に**
（同名の映画から半世紀に）

《アニメ映画「君の名は。」は２０１６（平成28）年８月末の封切り。１２００年ぶりに大接近する彗星をバックに都会の少年と田舎の少女が入れ替わり、さまざまな出来事が起こるというストーリーで、中年層も巻き込んで大ヒット。世界各国でも上映され、興収は２００億円を超え、人気を博した。半世紀以上も前のＮＨＫラジオドラマ「君の名は」の放送は１９５２（昭和27）年から１年間（毎週１回）。その時間帯になると銭湯の女風呂が空になると言われるほど。映画は３部作で合わせて３０００万人を動員したといわれる。真知子（岸恵子）と春樹（佐田啓二）の擦れ違いに女性たちは紅涙を絞った。長崎・雲仙でもロケがあり、真知子岩は今も健在だ。ＥＵは英国の離脱騒動で揺れている》

くい打ち とかけて **甘い捜査に部長検事が叱責** ととく
こころは **そこまで突かんと起訴はでけん** ※でけん…できない
（底まで着かんと基礎はでけん）

《２０１５（平成27）年10月、横浜市でマンションが傾いたことから問題化。基礎工事のくい（杭）が硬い地盤まで届いていなかったり、数が足りなかった建物が全国に多数あることが分かった。ずさんな施工に批判が集中。大企業の施工物件といえども安心はできないとは情けなや。十分な証拠がないと、起訴しても証拠不十分で無罪となる》

人口流出　とかけて　**宗派間の争いに一喝**　ととく
こころは　**信仰の喧嘩はもうよさんか**　※よさんか…よさないか
（進行の県下はもう予算化）

《日本の人口は減少に転じた上、地域間の格差も大きくなっている。自治体の努力で流出が止まればと思うが…おっと、それをめぐって自治体同士で喧嘩をしちゃダメだ》

環境ホルモン　とかけて　**東洋医学重視に転じた医者**　ととく
こころは　**メスが減って押すばっかし**　※ばっかし…ばっかり
（♀が減って♂ばっかし）

《環境ホルモンは一時ほど報道されなくなったが、自然界の環境がよくなっているとは思えない。人間はこの先、どこへゆくのか。指圧の心は母心。押せば命の泉わく—昔、テレビでこうのたまった指圧師がいらっしゃいました。東洋医学の効果はほんとにあなどれない》

学力テスト　とかけて　**佐幕に寝返った勤皇の志士**　ととく
こころは　**攘夷、攘夷は飽きたけん**　※けん…から
（上位、上位は秋田県）

《文部科学省は学力テスト再開（2007〈平成19〉年度）にあたって「全国的な学力状況」を把握するためと目的を強調したが、結果が公表されると、順位、点数に関心が集まるのは自然の成り行き。都道府県別

にみると、ずっと秋田県が上位に。２０１５年度の場合、小学校（6年生）は国語、算数で1位、理科も2位。中学校（3年生）は国語1位、算数、理科が2位と高順位。秋田県に先生を派遣して研修させる自治体も現れた。研修、研修で〝飽きた〟なんて言っておれない？》

難民対策　とかけて　**食べて吐き出した子どもたち**　ととく
こころは　**給食ミンチの試作がまずかった**
（旧植民地の施策が拙かった）

《シリア内戦、イスラム国（IS）の無差別テロなどで、中東、北アフリカからヨーロッパに流入する難民・移民が２０１５（平成27）年から急増し、各国ともその対策に追われた。ただし、歴史をさかのぼれば石油などの利権をめぐって各国が勝手に支配地域を決め、植民地化したことが最大の原因。定員オーバーの船が、途中の地中海で転覆し、多くの子供や女性が亡くなる痛ましい事態。給食がおいしい、まずいなどぜいたくではないか》

ラグビー　とかけて　**稲作を始めた弥生人**　ととく
こころは　**渡来して住み着いとう**　※とう…ている
（トライして隅突いとう）

《ラグビーのワールドカップ日本大会が２０１９（令和元）年9月から1カ月半にわたって開催された。九州でも福岡、熊本、大分が会場となり、大いに盛り上がった。結果は決勝戦で南アフリカがイングランドを破って3度目の頂点に立った。日本代表も予選リーグA組を全勝（4勝）で突破、初めてベスト８入り。トーナメント戦の準々決勝で南アフリカに敗れたものの、その奮闘ぶりに列島が揺れた。繰り広げられる肉弾戦に男性ばかりか女性にもにわかファンが急増。合言葉の「Ｏｎｅ Ｔｅａｍ」も流行語に。テレビの瞬間最高視聴率は53・７％（関東地区）に達した。チケット販売も99・３％で計１７０万人が会場に足を運んだ。主催団体も「記憶に残る素晴らしい大会となった」と賛辞。通説では弥生時代に稲作が始まったとされる》

パクリ　とかけて　**晩秋の朝**　ととく
こころは　**今日は落葉を燃した**
（京は洛陽を模した）

《現代社会では承諾を得ず、勝手にまねることを「パクリ」という。著作権、特許、商標などの権利が確立、金銭の対象になったからだ。でも、人間社会の言語、習慣、芸術、農耕といったものはまねることから始まっているのではないか。中国に批判が集中しているのは直接、お金と結び付いているから。まねるだけなら、日本のいにしえの都の京だって》

噴火　とかけて　**珍しい昆虫が水辺で能公演**　ととく
こころは　**希少チョウが渓谷の上で俊寛を舞っとう**　※舞っとう…舞っている
（気象庁が警告のうえで瞬間を待っとう）　※待っとう…待っている

《東日本大震災以来、日本列島の火山活動が活発化。２０１４（平成26）年9月には御嶽山（長野、岐阜県境）が噴火して死者58人・行方不明5人の犠牲者が出た。以後、口之永良部島（鹿児島県）、阿蘇山をはじめ桜島、霧島連山の新燃岳、硫黄山なども噴火。気象庁は警告を発し、観測を強化している。「待っとう」と言ったら叱られそうだが、予知を可能にするにはデータの蓄積が必要なことも確か。チョウが能を演ずるならぜひ見てみたい》

マイナス金利　とかけて　**操縦が簡単な小型飛翔体**　ととく
こころは　**こんドローンは易うなったげな**　※こん…この　げな…そうだ
（今度ローンは安うなったげな）

《このマイナス金利は日銀と金融機関間の設定であるが、われわれの預貯金にも影響が及んでいる。今でも金利は限りなくゼロに近いというのに。安倍政権は森友学園・加計学園・財務省の公文書改ざんに加えて、目玉のアベノミクスも行き詰まっている。6年を超える長期政権も、歴史に残る成果は見当たらない。ドローンは量産されれば価格も下がる》

トランプ　とかけて　**海底の神社**　ととく
こころは　**貝から熨斗《のし》上がっとる**　※とる…ている
（下位からのしあがっとる）

《2016年12月投票の米国大統領選挙で民主党のクリントン女史を破って、翌年1月、正式に共和党のトランプ氏が大統領に就任した。予備選では泡沫とみる向きもあったが、中東の移民は認めない、メキシコ国境に壁を造って密入国を阻止する、在日米軍の費用は全部日本政府に負担させるなど強硬な発言で、国内の不満層の票を取り込んだ。博多なぞなぞには実際にはあり得ない課題（難題）も出されるが、この

句は逆に〝とき〟にありえない神社を登場させた》

暴言政治家　とかけて　**大工さんが弟子に『お前ならやれる！』**　ととく

こころは　**大棟梁がこう檄してつい言った**

（大統領が攻撃して twitter）

《2017年1月、米国大統領に就任したトランプ氏は暴言を吐くとともにあることとないことを twitter でつぶやくのがお得意。メディアとも対立しても攻撃の手を緩めない。世界一の大国のトップだけに知らぬ顔の半兵衛（反米）を決め込むわけにはいかず、世界が振り回されている。北朝鮮、中東、シリア内戦など国際紛争も続いており、さてさてどうなることやら》

はかた・ふくおかのこと（郷土）

那珂川市　とかけて　**どうにか出世した舞踊家**　ととく
こころは　**大望の師匠格になっとる**
（待望の市昇格になっとる）
《市昇格の条件の一つ、人口５万人をわずか４人上回り、２０１８（平成30）年10月、市制を敷いた那珂川市。10年間も待ち続けた同市と同様、この句も苦労した。どうしても市昇格を織り込みたかったからだ。お許しあれ。同市は福岡都市圏の南部に位置し、南畑ダムを通して福岡市民は水の恩恵に浴しているが、印象が薄い。今後の情報発信に期待したい。踊りのお師匠さんも頑張ってください》

春吉橋　とかけて　**夕食は子どもの好物**　ととく
こころは　**カレーで駆け帰るげな**　※げな…のだそうだ
（加齢で架け替えるげな）
《１９４８（昭和23）年の第３回国民体育大会開催を機に整備された国体道路に架かる春吉橋。増えた交通量にも耐えてきたが、老朽化も進み、２０１５（平成27）年から架け替え工事が始まった。夜の中洲への入り口、〝華麗〟なる変身を遂げてもらいたい。子どもたちはカレーが大好き》

水上公園　とかけて　**絵になる薄暮の阿蘇山**　ととく
こころは　**火口の端から月出とる**　※とる…ている
（河口の橋から突きでとる）

《那珂川と薬院新川の合流点にある三角形の小さな公園。明治通りに面しており、2016年にリニューアル（加工）され、福岡と博多の接点にふさわしい現代的な空間が創出された。阿蘇山は九州観光の目玉の一つ。あまり怒らないでください》

チンチン電車　とかけて　**スマホに替えた高齢者**　ととく
こころは　**慣らしてから発信しとる**
（鳴らしてから発進しとる）

《福岡市で市民の足だったのがチンチン電車（西日本鉄道経営）。姿を消してもう40年近い。今では貫線、循環線、城南線などの痕跡を見つけるのも難しい。代わって登場したのが地下鉄（福岡市営）。乗車中、若者は新しい物の代表のスマホに夢中になっている。お年寄りは覚えが悪く、買い替えても慎重だ》

福岡市　とかけて　**古いと相手にされない老武士**　ととく
こころは　**旧習で一人がちの歳ぃなっとる**　※なっとる…なっている
（九州で独り勝ちの都市ぃなっとる）

《2015（平成27）年の国勢調査で、福岡市は人口が153万人を超え、日本で東京、横浜、大阪、名古屋、札幌に次ぐ6番目の都市となった。しかし、保育所不足、高齢者世帯の増加など課題は山積しており、喜んでばかりはいられない。年老いて一人暮らしの世帯も結構多い。〝がち〟は「そういう傾向である、の意」（「新選国語辞典」小学館）。一人がちの生活は寂しい。都市も人もすべて年をとることをお忘れなく》

博多川端　とかけて　**入居直前のニュータウン**　ととく

こころは　**戸々は電灯の承認待ちだ**

（ここは伝統の商人町だ）

《商業集積で天神に敗れ、一時さびれていた博多川端は両側に大型施設ができたこともあり、徐々に活気を取り戻している。しかし、どうも気になるのが飲食店の増加。それに伴って伝統ある店が廃業し、呉服、洋服、雑貨など日用品の店が減少。ショッピング客は増えていない。住宅も電灯線を引かないと住めない》

山笠七流《ながれ》　とかけて　**新刊本を進呈する時**　ととく

こころは　**寄贈て書いとる**　※とる…ている

（競うて昇いとる）

《全国にはいろんなお祭りがあるが、博多祇園山笠のように所要時間（タイム）を競うというのは聞いたことがない。人間、競争となると、山笠の場合でも周囲には恐ろしいくらいの気配が漂う。つまり、関係者のボルテージが上がるのだ。本音を言えば寄贈本に面白いのは少ない》

子供にわか　とかけて　**勇気ある事件の目撃者**　ととく

こころは　**犯人前でちゃあ落ち着いとう**　※でちゃあ…でも　とう…ている

（半人前でちゃあオチ付いとう）

《犯人を前にすると、普通の人は後難を恐れてなかなか本当のことは言えないものだ。それができるとは大した度胸といえる。一方のにわかは子供ばかりではなく、大人の愛好者でもあがってセリフを忘れることもある。落ち着いてオチ付けて》

博多千年門　とかけて　**冷蔵を忘れた練り物**　ととく
こころは　**極暑チクワ臭うとる**
（御供所地区は似合うとる）　※似合うとる…似合っている

《福岡市博多区の御供所地区は日本最初の禅寺の聖福寺をはじめ妙楽寺、乳峯寺、東長寺などの寺院が集まっている。そぞろ歩けば京都に負けないくらい情緒があるが、市民にはあまり知られていない。その中で無粋だったのが、承天寺を真っ二つにした区画整理道路。その反省もあり、「承天寺通り」と名付け、歩道を広げて建設したのが博多千年門。２０１４（平成26）年３月に完成。市はようやく一帯を〝旧市街地〟として整備する方針を打ち出した。むろん、腐ったチクワは食べられない》

博多小学校　とかけて　**素敵なカップルに友人一同**　ととく
こころは　**投合して生花ば上ぐる**
（統合して成果ば挙ぐる）　※ぐる…げる

《児童・生徒減とともに各地で小、中学校の統合が進められているが、福岡市内の小学校では博多小学校が初めて。かつて博多地区には奈良屋、冷泉、御供所、大浜の四つの小学校があったが、少子化に住民の郊外移転（都市部のドーナツ現象〈減少〉）も加わった。学校運営にも支障をきたすようになり、協議の上、４校統合が決定。１９９８（平成10）年４月に博多小学校が開校した。その結果、教育も充実し、児童数も安定しているという。これより先、博多第一中学校と博多第二中学校も統合され、博多中学校になった。結婚式で飾られる華やかな生花は雰囲気を盛り上げる》

徒歩参り《かち》　とかけて　**この食べ方がいっちゃんうまか**　ととく　※いっちゃんうまか…一番うまい
こころは　**ここのカニは三杯酢**
（九日には参拝す）

《十日恵比須神社（博多区東公園）の〝十日《とおか》えびす〟は例年1月8～11日。9日には博多芸妓衆が正装の黒紋付き姿で参拝する習わし。かつては〝宝恵《ほえ》かご〟に乗ってのお参りだったが、昇き手が不足して今は歩いて社殿に向かう。決して横歩きではありません》

追善山笠《ついぜん》　とかけて　**大事故直後の首相演説の原稿**　ととく
こころは　**異例で書き入れとる**　※とる…ている
（慰霊で昇き入れとる）

《追善山笠は博多祇園山笠の行事の一つ。各流ごとに功績があり、過去一年間に亡くなった人の自宅などに山笠を昇き入れて慰霊する。「博多祝い唄」を歌い、〝山笠のぼせ〟だった故人に感謝する。政治家はいつでも表向き国民を大切にしているように振る舞うものだ》

糸島市　とかけて　**九割引きの大売出し**　ととく

こころは　**誇大の意図濃くでとる**　※とる…ている

（古代の伊都国出とる）

《中国の古書『魏志倭人伝』などに出てくる古代国家の伊都国は今の糸島市というのが通説。市内のあちこちで遺跡が確認されているほか、日本一大きな鏡なども出土しており、誇大などと言う人はいない。90％オフなんて信じますか》

幕出し　とかけて　**化け物が出る貸家は紹介できぬ**　ととく

こころは　**しょうがないじゃ住まされん**　※されん…されない

（生姜ないじゃ済まされん）

《福岡市東区の筥崎宮「放生会《や》」は福岡市で最大の秋祭り（9月12～18日）。江戸時代から博多の人々はお店や町内ごとに参拝し、松原に幕を張って飲み食いするのが習わし。これを「幕出し」と言った。そのお土産が葉付きの新生姜で、参拝できなかった近所の家庭などに配ったといわれる。わけあり物件ちゃお化けが出るんじゃないでしょうね》

博多にわか　とかけて　**人生相談の回答**　ととく

こころは　**駆け落ちせろと説いとう**　※せろ…しろ　とう…ている

（掛けオチせろと解いとう）

《博多にわかは地元に伝わる芸能。もともとは芝居仕立て（段もの）だったが、現在ではオチを楽しむ一口にわかが主流になっている。グループを集めた博多仁和加振興会があり、福岡市指定の無形民俗文化財。駆け落ちせろとは、少々古風ですね》

博多祝い唄　とかけて　**タイル工事の責任者**　ととく
こころは　**総指揮で貼り上げることもある**
（葬式で張りあげることもある）

《博多では宴会などの締めの時、全員で「博多祝い唄（祝い目出度の唄）」を歌い、手一本を入れるのが慣習。祝い唄は通説では江戸時代、お伊勢参りの人々が覚えて持ち帰った「伊勢音頭」が源流とされる。博多祇園山笠の功労者が亡くなった時も、「博多祝い唄」を歌って霊柩車を送り出すことも少なくない。ビルの外観はタイル貼りが上品ですね》

大博《たいはく》通り　とかけて　**天然痘の後遺症が残る顔**　ととく
こころは　**幼少の年の感染ばい**　※ばい…だ、である
（要衝の都市の幹線ばい）

《大博通りはJR博多駅と博多港を結ぶ、幅50メートルの幹線道路。かつての呉服町筋を拡幅すると同時に南に約600メートル延伸した。港までロープウェイを架設する構想も持ち上がっていたが、反対の声にあえなくダウンした。天然痘は古来、疫病の一種で、日本でも恐れられた感染症であったが、1955年以来、患者は出ていないとされる》

穴観音　とかけて　**覚えの悪いパソコン教室の生徒**　ととく

こころは　**講習時に尋んねてみよう**　※尋んねて…尋ねて

（興宗寺に訪んねてみよう）　※訪んねて…訪ねて

《穴観音は福岡市南区寺塚の興宗寺境内にあることは知られている。境内には東京・泉岳寺の赤穂義士の墓を模したものもあり、毎年12月14日には〝義士祭〟が行われる。覚えの悪い人には困ったぁ。よか方法はなかかいな》

はかたことばのこと（言葉）

ぞうたん　とかけて　**おやつの後の掃除**　ととく

こころは　**お菓子食って拭きだぃとる**　※だぃとる…だしている

（可笑しくって吹きだぃとる）

《ぞうたんは冗談のこと。「ぞうたんのごと。そんなこと全然しらんやったばい」「こげんようしてもろうて。ぞうたんじゃなかばい」など広い意味に使う。博多には明るくぞうたんが好きな人が多い。拭き掃除は腹ごなしにちょうどいいのでは〜》

やいと　とかけて　**銀行員を受け入れた赤字会社**　ととく

こころは　**幹部に据えて直す**

（患部にすえて治す）

《やいとはお灸《きゅう》のこと。最近は熱くないものあるとか。銀行員ってそんなに優秀なのですかねぇ。時折、すくねたり、ごまかしたりして新聞などに載るご仁もいるけど》

まちーと　とかけて　**地割れした田んぼを前に**　ととく

こころは　**堰《せき》ば開けてんやい**　※（して）んやい…（して）ください

（席ば空けてんやい）

《まちーとはもう少しのこと。電車に乗った際、シートは詰めればもう一人くらい座れるのにと思うことが多いけど…。気づいて詰めてくれる人もいれば、全く関心を示さない人も。さまざまだ。水不足は農家

にとっては死活問題。いらいらすると言葉も荒くなる》

めのこざん　とかけて　**月夜の別れ**　ととく

こころは　**宵下弦でバイバイしとる**　※しとる…している

（よい加減で売買しとる）

《めのこざんはおおざっぱな計算のこと。めのこざんにょうとも言う。レジがなかった頃、忙しい場合はたいがいこれではなかっただろうか。月夜の別れってもう古いのかもしれない》

わくろう　とかけて　**異議申し立て**　ととく

こころは　**待っても評定な変わらん**　※な…は　変わらん…変わらない

（まっても表情な変わらん）　※まる（まっても）…小便する（しょうべんしても）

《わくろうはヒキガエル、あるいはガマのこと。何事も気にしない人や動じない人に対して蛙の面に小便～と言いますね。スポーツ界はビデオ判定を採用する種目が増えて、判定がひっくり返ることも珍しくなくなってきた。今は評定が変わることがある》

げってん　とかけて　**甘かもん好きのお年寄り**　ととく　※甘かもん…甘いもの

こころは　**いい歯って俺無い**

（言い張って折れない）

《げってんとはへそ曲がり、偏屈者、変わり者のことで、強弁する人もそのたぐい。その言動を表現する時は「げってんを回す」と言う。筆者も片方の奥歯が抜けてありません》

泣きべす　とかけて　**やむをえず保証人欄に署名**　ととく
こころは　**奢《おご》られて書いとる**　※とる…ている
（怒られてかいとる）

《泣きべすは、泣きべそのこと。よほどの事情がない限り、奢られても（ごちそうになっても）、怒られても借金の保証人になるものではない。泣きべすばかくことくらいでは収まらない。「かいとる」のかくは「掻く」で、「汗をかく」「恥をかく」と同じように、あるものを表面に出すことの意味から用いられるようになったという》

りこーもん　とかけて　**500+500はいくつな**　ととく
こころは　**そんなことは1000に決まっとう**　※とう…ている
（損なことはせんに決まっとう）　※せん…しない

《りこーもんとは利口な人という意味。りこーもんなら500＋500くらいすぐ分かるし、損をするようなことはしまっせん》

ぬべる　とかけて　**荒っぽい昔の殺人事件**　ととく
こころは　**行李ぃ入れて埋めてんやい**　※やい…（して）みなさい
（氷ぃいれてうめてんやい）　※うめる…薄める
《行李は柳の枝や竹で編んだ荷物入れ。引っ越しなどの時、重宝した。今ではプラスチックの物入れに取って替えられた。死体を入れるとは、怖かぁ。ぬべるはお湯に水を加えて温度を下げること（うめる）。熱いお風呂は心臓によくない。特に寒い冬はご用心》

たんねる　とかけて　**先頭打者ホームラン**　ととく
こころは　**先制は失投かいな**
（先生は知っとうかいな）　※知っとう…知っている
《たんねるとは尋ねる、訪ねるのこと。先生が教科書にも出ているようなことを尋ねられて答えられんやったら、やっぱ〝失投〟やね》

こがしこ　とかけて　**卵を抱いたツバメ夫婦**　ととく
こころは　**何羽孵るちゃろうか**　※ちゃろうか…のでしょうか
（なんば買えるちゃろうか）　※なんば…何を
《こがしことはこれだけ、それだけといった意味。少ないことを表しており、買えるのは駄菓子くらいか。雛が孵るのはうれしいが、天敵が狙っており、巣立つまで安心はできない》

はわく　とかけて　**デリケートな胃腸**　ととく
こころは　**吸収外は吐くげな**　※げな…だそうだ
（九州外は掃くげな）

《はわくは掃わく。共通語の掃くの意味。つまり、ほうきで掃除をすること。関東、関西で言おうもんなら、「はわく？　それなに」とけげんな顔をされる。かく言う私も、京都で学生時代を過ごした際、笑われた一人。でも、〃はわく〃の方がその行為にふさわしいと思っており、〃掃く〃と言ったことがない》

おおまん　とかけて　**お酒は万能薬**　ととく
こころは　**鈍な人にも銚子がよか**　※よか…よい、いい
（どんな人にも調子がよか）

《おおまんは良い意味では「おおらか」、悪い意味では「いいかげん」な人。中間をとれば「大ざっぱ」な人。あの人は「おおまん太郎」「大野万太郎」といった言い方もある。「おおまか」の変化か。敏感、鈍感に関係なく、酒好きは銚子が出てくると調子が出る》

とっぺん　とかけて　**注文に応じたズボン丈**　ととく
こころは　**裁てば長めがよかげな**　※よかげな…よいそうだ
（立てば眺めがよかげな）

《試着して股下の長さを測り、裁断して縫ったのに。はいてみて「長めがよか」とはわがままではありませんか。やり直しはでけまっせん。文句を言わずに引き取ってください。とっぺんとは頂上、そりゃ眺めのよござっしょうや》

ちんくそ　とかけて　**発情期のオス鹿**　ととく
こころは　**習性不変で突き合うとる**
　　　　（終生普遍で付き合うとる）

《ちんくその〝ちん〟は小型犬・狆のことで、〝くそ〟は糞で幼いころからつるんでいるという意味とする説もあるが、〝ちん〟は幼児ことばでもある〝ちんこ〟で、ちんこを見せ合ってた幼いころから、とも思える。そんな親しい仲なのに鹿のように女性を巡って角突き合わせることだってある》

おちょくる　とかけて　**飴玉にうるさいご婦人**　ととく
こころは　**舐めてから買うてござぁ**
　　　　（なめてからこうてござぁ）　※からこう…揶揄（からか）ぅ

《『広辞苑』には「おちょくる」は「主に関西でからかう、馬鹿になる」とあるが、博多でもよく使う。なめちゃいかんばい。おっとっと飴はどうぞなめてみてつかぁさい》

ありえないこと（難題）

天国の刑務所　とかけて　**けだるい昼下がり**　ととく
こころは　**草原のオオカミも伏しとう**　※とう…いる
　　　（壮言の大神も服しとう）
《オオカミはうまく狩りに成功し、お腹を満たしたのだろう。けだるさが漂うモンゴルの大草原で一休み。それに対し、大神は八百万《やおよろず》もいらっしゃるから生存競争も激しい。この高慢な大神はどんな犯罪を犯したのか。懲役刑の場合、刑務所では仕事があり、休んでなんかおられない》

看板婆　とかけて　**ふるさとを詠む**　ととく
こころは　**和歌作りも愛郷たい**
　　　（若づくりも愛嬌たい）
《高齢化社会を迎えて「看板娘」ならぬ「看板婆」も実際にいる時代だ。〝難題〟はあり得ないことが対象だが、そうもいえなくなっている。厚化粧の、元気のいい婆の店に通っている爺も少なくない。年をとっても男は男だ。望郷の歌詠みは多いに違いない》

不細工美人　とかけて　**道路拡張にひっかかった桜並木**　ととく
こころは　**芽が出て花が開いても伐れかぁ**
　　　（目が出て鼻が開いてもきれかぁ）
《聞く耳を持たぬお役所は困ったものです。ほれたら、昔からあばたもえくぼと申しますね。伐れかぁは

嘆き、きれかぁは驚きですね》

やさしい難問　とかけて　**ノーベル化学賞への第一歩**　ととく
こころは　**溶けそうになかとぃ水に溶けた**　※なかとぃ…ないのに
（解けそうになかとぃ見ずに解けた）
《解けそうにない問題が見ないで解けたというから不思議ですね。また、水に溶けそうにない物質がやってみたら溶けたと。要は何事もやってみないことには分からないということ。科学者の心得か》

平行線の接点　とかけて　**わいせつ小説家**　ととく
こころは　**書いて罰もろうとる**　※もろうとる…もらっている
（描いて×もろうとる）
《平行線に接点はないのに描けば当然×だ。でも、普通の数学の試験ではこんな問題は出ないから安心していいようだ。時代の変化でしょう、小説がわいせつとして刑事責任を追及されることはほとんどなくなった。作家もおとなしくなった？》

竜宮城の火事　とかけて　**イケメンの趣味は闘犬**　ととく
こころは　**いかす身でけしかけとる**　※とる…ている
（イカスミで消しかけとる）

《海の底にある竜宮城で火事が起こるはずはないが、いざというときに備えてイカが自衛消防団をつくっている。掛けるのは当然、スミだ。闘犬をけしかけちゃ、下手をすると犯罪。「いかす」は石原裕次郎の若い時代にはやった。次の世代は「かっこいい」。そして今は「イケてる」》

蛙《かえる》の相撲　とかけて　**梅雨季の野外イベント**　ととく
こころは　**行事には合羽《かっぱ》が要る**
（行司には河童が居る）

《鎌倉時代の初期に複数の絵師によって描かれたとされる墨絵の絵巻物に、有名な『鳥獣戯画』（国宝）がある。鳥獣や人物を戯画化したもので、日本最古の漫画ともいわれる。中でもカエルとウサギが相撲を取り、カエルが投げ飛ばされている場面は、教科書などでもよく知られている。ただし、河童の行司がいないのはザンネーン。合羽は今でも幼稚園児などの必需品》

美人税　とかけて　**猛暑下、応援団に配られたタダの弁当**　ととく
こころは　**助成組は皆腹痛かげな**
（女性組は皆払いたかげな）　※げな…そうだ

《税不足の時代、美人税が創設されたらどうなるだろうか。女性のみなさんは消費税の引き上げには反対でもお払いになるのでは？　これは言葉遊び、ぞうたんです。応援団に配られるタダの弁当でもあたれば病院に。冗談じゃありまっせん》

お経カフェ　とかけて　**演説前に一杯飲んだ男**　ととく
こころは　**度胸がついて逸っとる**
（**読経が付いて流行《はや》っとる**）
《いろんな業種とコラボしたカフェが増えている。書店、雑貨店、洋装店、フクロウなど。〝お経カフェ〟はどうかしらないが、日本も広いから、ひょっとしたらあって列ができているかも。気の弱い男の中には一杯ひっかけると、急に能弁になる、逸る人っていますね》

静かな騒音　とかけて　**野外芝居の勧進帳**　ととく
こころは　**雨中の口上は僧であろう**
（**宇宙の工場はそうであろう**）
《真空の宇宙では音が伝わらない。市民を悩ましている工場も宇宙に建設してもらえると、たとえ隣に住んでも静かでしょう。勧進帳の弁慶は歌舞伎の花形の一人》

海中の嵐　とかけて　**同年輩であるかどうか**　ととく
こころは　**回想の童謡で判る**
（**海藻の動揺で分かる**）
《陸上の嵐は立っていられないが、海中のそれは？　海藻の揺らぎの大きさで判断できるのではないか。童謡も久しぶりに聴くと懐かしい》

女神の失恋　とかけて　**陛下が乗った専用機**　ととく
こころは　**天子が同乗してござる**
（**天使が同情してござる**）
《女神だって失恋することはあるだろう。知ればエンジェルが同情するかな。飛行機内が職場とはいえ、天子（天皇）が乗れば、乗員はいつも以上に緊張するのでは》

天国への留学　とかけて　**新商品の発毛剤は効く**　ととく
こころは　**危機の髪々が享受しとる**　※とる…ている
（**記紀の神々が教授しとる**）
※記紀　「古事記」と「日本書紀」の略。日本最古の史書で、神話から初期の天皇の業績などが記録されている
《記紀にはたくさんの神々が名を連ねている。留学がかなえば神話の裏話まで教えてくれるかもしれない。私も髪の毛が薄くなってきた。本当に毛がふさふさと生える薬が欲しい》

海中の喫茶店　とかけて　**言い負けた女性の捨て台詞《ぜりふ》**　ととく
こころは　**彼ぃおごってもらうけん**　※彼ぃ…彼に　※おごって…怒って　※けん…から
（**カレイ奢ってもらうけん**）
《友達のタイ子さんと喫茶店に入ったブリ子さん。カレイさんに相当のぼせているようで、カレーを食べながらもなにかにつけて彼、彼、彼。ブリっ子ぶりを発揮している》

大人手当　とかけて　**時にはものぐさ人間でも**　ととく
こころは　**用事が起こって出もしよる**　※しょる…している
（幼児が怒ってデモしよる）
《大人手当を出すなんて。「子ども手当を増額せよ」「保育所をつくれ」と幼児がデモしかねない。ものぐさな人間でも時には重たい腰を上げて…》

鋼鉄のスーツ　とかけて　**頑固おやじが植木屋さんに**　ととく
こころは　**さっちゃー伐るて言い寄る**　※さっちゃー…どうしても、必ず、ぜひとも
（サッチャー着るて言いよる）　※言いよる…言っている
《サッチャーは英国の元女性首相。固い信念の持ち主で〝鉄の女〟と評された。「鋼鉄のスーツ」はさぞお似合いでしょう。男も年をとると、だんだん頑固になるものとみえます》

雷様のダンス　とかけて　**ぐうたら亭主を女房が一喝**　ととく
こころは　**ごろごろして恥め！**
（ゴロゴロして始め！）
《雷様といえば稲光とゴロゴロという音。ダンスをするにしてもこの音がないと調子が出まい。ごろごろしていると、女房様から叱責の声がー》

居眠り手当　とかけて　**のんびり屋のプランナー**　ととく
こころは　**至急とあれば練ろう**
（支給とあれば寝ろう）
《居眠りしたら手当が出るげな。そんなら議場で眠ろうかと議員さん。ぞうたんじゃありまっせん。国民の生活向上のため至急プランを実行に移してくださいな》

風の色　とかけて　**押し入れに放りっぱなし**　ととく
こころは　**夏服は垢が臭うとる**
（夏吹くは赤が似合うとる）
《汗などで汚れた服を入れっ放しにしておけば臭う。最近は亡くなった人を隠すケースもあるが、その臭いを我慢する精神力には感服だ。東洋では四季を色で表せは、春は青、夏は赤〈朱〉、秋は白、冬は黒。つまり、夏の風に色があるとしたら赤ということに》

新しか老舗　とかけて　**文明開化時代の工場**　ととく
こころは　**電灯ば買って操業しとる**
（伝統ば借って創業しとる）　※借って…借りて
《明治維新後、電灯が次第に普及し工場では夜間、仕事ができるようになった。しかし、伝統は年月を経ないと築けない。ただし、規模を拡大したい企業が老舗を買収したり、屋号を借りる手はある》

鳥の法廷　とかけて　**焼いている最中のパン**　ととく

こころは　**生地が膨張しとる**

（キジが傍聴しとる）

《傍聴人がキジさんだけではちと寂しい。仲間のサルさん、イヌさんも後学のためどうぞ。裁かれているのはオニさん？　さぞ被告人はふくれっ面をしていることだろう。パンの生地はよく膨らみますね》

博多なぞなぞ　――解説❶

どげんして作りゃよかと……

約束ごとは2カ所以上かかっていること

博多なぞなぞも、○○○とかけて△△△ととく、こころは□□□という、いわゆる〝三段なぞ〟である。それにもかかわらず、〝博多〟と強調するには訳がある。繰り返しになるが、それなりの約束ごとがあるということ。❶こころは2カ所以上かかり、異なる文意にならなくてはならない❷できれば博多言葉を織り込むこと❸片言（なまり、〝で〟を〝れ〟、〝ろ〟を〝ど〟というようなこと）は使わない――など。

明治期以前、江戸で出版されたなぞの句集にも2カ所以上かかったものも散見できるが、博多なぞなぞは厳格にそれを要求する。これが、博多なぞなぞの最大の特徴で、命といってもいい。従って、〝即興〟には向いていない。2カ所以上かけるというのは、やってみるとそう簡単ではない。じっくり考える必要がある。

できれば博多ことばを織り込んで

博多言葉に関しては、戦前はそれが当然であった。教科書や人の交流、映画、ラジオなどを通して〝標準語〟は入ってきていたものの、現代に比べると、その影響は小さかった。「今度は〝標準語〟でこさえて（作って）句会ばやってみようや」という話も残っているくらいだ。

現在は〝標準語〟が普及しており、「博多謎々の会」はできる限りとし、博多ことばは必ずしも条件ではない。

片言も、有名なうどん店の屋号「かろのうろん」には生きてはいるが、今ではほとんど耳にすることがない。逆に「うちらち」「ろうかいな」などと聞く機会があると、うれしくなる。

作り方のコツは「こころ」を先に

作り方にはコツがある。「とき」(解き)は後回しにして、「課題」から関係のある同音異義語をいくつも書きだし、それらを組み合わせて、一つの読みで、二つのことを意味する「こころ」(一つは課題に沿ったもの)をひねりだすのだ。その後にもう一つの文意に合う「とき」を考えればいい。

例えば課題が、ブームを呼んだ小池新党「希望の党」だったとしよう。これから浮かぶのは「小池」「古池」、「民進」「民心」、「党首」「投手」「頭首」、「排除」「廃除」、「急降下」「急行化」、「自公」「時効」「自校」「事項」、「政権」「制憲」、「完敗」「乾杯」などなど。実際にはこの3倍くらいの語彙を書きだしてみて思案。やっと「こころ」の「自公に完敗」(自校に乾杯)をひねりだした。しかし、これだけでは物足りない。さらに考えて「立てなおした」(建て直した)を思いついた。後はもう一つの文意に合う「学び舎の改築祝賀会」を考えて〝とき〟とした。

希望の党　とかけて　**学び舎の改築祝賀会**　ととく
こころは　**建て直した自校に乾杯しよう**
　　　(立てなおした自公に完敗しよう)

同音異義語探しはまず、頭にある語彙の中から。その程度の方が読んだ人にもすんなり理解してもらえるのではないか。辞書やネットを利用する手もある。忘れていた語彙に気づくかもしれない。でも、最も必要とするのは、作句のための時間の確保と伝統を受け継ぐという粘りや思いではなかろうか。

このことば遊びは知らんやった！

戦後35年にして復活

昭和10年代まで博多にはいくつかの謎々の会があり、作句を競い合っていたが、太平洋戦争突入後の戦局悪化とともに人々にも余裕がなくなったのか、自然消滅したようだ。さらに博多の中心部は昭和20（1945）年6月19日の福岡大空襲で焼け野が原となった。約2カ月後、日本は連合国に無条件降伏し、米軍占領下で復興に向け歩み出した。博多でも戦後しばらくは食べることや仕事の確保に追われ、加えて昭和37（1962）年頃から本格的に始まった高度経済成長期は働くことに忙しく、なぞなぞのように思考を伴う文芸は後回し。復活まで約35年の歳月を要した。

戦前に博多なぞなぞの名人と言われた石田庄平（面白斎利久、1885〜1955）さんの句を、長男石田順平さん（未乱軒紫蘭、1915〜92）が整理し、利久作・撰の約千句をピックアップ。昭和54（1979）年に『博多なぞなぞ』（西日本新聞社刊）として出版するとともに、知人を通して新聞紙上での〝復活〟を、もう一つの地方紙であるフクニチ新聞社に働きかけた。戦後、夕刊紙として誕生した『フクニチ』は、四コマ漫画「サザエさん」（長谷川町子作）を初めて連載したことで有名。福岡・佐賀県をエリアとし、夕刊紙らしい柔らかい読み物、つまり庶民性も売り物。祭り文化などが伝わる博多にも強い関心を寄せていた。というわけで、筆者（保坂）が担当することになり、「博多なぞなぞ」を紹介した上で、月1回、『博多なぞ』欄を設け、読者に投句を呼び掛けることになった。

新聞に「博多なぞ」欄を開設

そして昭和55年1月3日付の紙面（1ページ全面）を使って『練りに練った面白さ』『戦前は「博多にわか」と人気二分』とうたい、「春遊び」とかけて「魚市場」ととく、こころは「東風《こち》吹くと凧も揚がる」（コチ　フクとタコもあがる）など10句を紹介。戦前の謎々の会の様子や作り方なども載せて「博多なぞ」欄の新設を発表。課題として「オリンピック」など五つを出し、解いて応募するように呼びかけた。応募句の選は自らも作句する順平さんが当たり、2月の「博多なぞ」欄には《天》《地》《人》賞各1点、佳作6点を発表し、総評と次回の課題も載せた。当時はFAXのような便利なものはなく、以降、私が応募句（はがきに記載）を持って博多区住吉（住吉神社前）の順平さんの自宅に行き、後日、選が終わると取りに行く、ということを毎月、ほぼ12年間続けた。

またもやピンチ。謎々の会結成

こうして博多なぞなぞは新聞紙上で復活し、フクニチ新聞社が経営不振で廃刊する平成4（1992）年4月までほぼ12年間続いた。その間、愛好者が何回か集まり、句会を開いたこともあった。博多なぞなぞは新聞の廃刊で再びピンチに見舞われたが、間もなくして、順平さんと愛好者で『博多謎々の会』が発足。定期的に句会を開くことを決め、危機を脱した。この年の7月、順平さんは急死したが、例会は25年を超えた今も福岡市中央区の赤煉瓦文化館で3カ月に1回の割で開かれている。刺激を受けて作句するようになった私も発足時から参加しているが、会は会員減と高齢化に直面している。

〝へんちくりん〟さん

雅号あれこれ

博多なぞなぞの作者はほとんど「雅号」で句を作っている。私もそれに倣って「若久亭団地」と名乗っているが、特別の意味があるわけではない。博多なぞなぞに出合った約35年前、たまたま福岡市南区の若久団地に住んでいたに過ぎない。皆さんがよく使われていた「亭」を真ん中にはさんだだけである。今考えると、もっと推敲しておけばよかったと思わなくもない。

それに比べると、明治から昭和（戦前）にかけてなぞなぞ作りに励んだ博多人には諧謔的、自虐的だったり、時代を風刺したり、知識を披露したり、博多弁を織り込んだりなどと、彼らなりに熟考した結果の雅号が多い。

博多言葉もあれば時代を反映したものも

◇能満軒空解（のまんけんくうかい）
◇灰吹庵煙龍（はいふきあんえんりゅう）
◇独立軒自遊（どくりつけんじゆう）
◇無愕斎霞軒（むがくさいかけん）
◇面白斎利休（おもしろさいりきゅう）
◇変竹林月天（へんちくりんげってん）
◇閑雅園滅方（かんがえんめっぽう）
◇朝寝坊尾金（あさねぼうおきん）
◇雅柳軒蛙放（がりゅうけんあほう）
◇青慰軒若蘭（あおいけんわからん）
◇庭月亭慰雅望（ていがつていいがぼう）
◇閃光亭粋蕾（せんこうていすいらい）
◇面白斎童慰（おもしろさいわらい）
◇普蘭軒青天（ふらんけんせいてん）

◇野霧軒一笑（のむけんいっしょう）
◇無口斎羽多楽（むこうさいはたらく）

このほか、本名と雅号を組み合わせた、◇祝部蘇泉（ほうりそぜん）◇平田汲月（ひらたきゅうげつ）◇原蜂郷（はらはちごう）◇荒巻筑連（あらまきちくれん）◇木原貫宇（きはらかんう）◇中村抜天（なかむらばってん）など。単に◇残月◇松濤◇運弓（うんきゅう）◇瓢下（ひょうげ）◇金ぺん◇宝船◇日本号◇臥牛◇点心などと名乗った人もいた。

「へんちくりん」「ていがつてい」「げってん」などは博多ことばを巧く織り込んでいて面白いし、「どくりつけん」「せんこうていすいらい」などは戦争へ向かう時代を感じさせる。

江戸のなぞブームが伝播？

この雅号は、江戸時代の文化年間（１８０４～１８１８年）までは遡れそうだ。『なぞの研究』（鈴木棠三《とうぞう》著）に、東北出身の若い座頭の謎解坊春雪（なぞときぼうしゅんせつ）が江戸に出て、浅草で聴衆から題をもらって「とき」「こころ」を付けてみせる興業を行い、短期間であるが、大当たりしてなぞブームを巻き起こした、とあるからだ。「謎解坊」は明らかに雅号だ。博多なぞなぞの発生がいつかは分からないが、文芸も地方に伝播する。少なくとも雅号はこの流れに倣ったという見方ができる。

ただし、これより先、同じ文芸に属し風刺や皮肉、滑稽を織り込んだ〝狂歌〟が、天明年間（１７８１～１７８９年）に社会現象となったという。この狂歌の作者も朱楽菅江（あけらかんこう）、宿屋飯盛（やどやのめしもり）、頭光（つむりのひかる）といった雅号を用いており、これら他の文芸の影響も考えられる。

戦前はこんな風に楽しんだ

戦前の『謎々の会』

「博多なぞなぞ」は地元紙『フクニチ』が昭和55年1月3日付紙面で紹介し、「博多なぞ」欄を開設（投句を呼びかけ同年2月から毎月1回掲載）したことで、〝紙上句会〟として復活したが、この記事などは私（当時、フクニチ新聞記者）が石田順平（末乱軒紫蘭）さんに取材して記事にしたものだ。その中で「謎々開巻（句会）会場」と書かれた看板を中心に7人の男性が写っている写真（昭和16年6月）とともに戦前の句会の様子を描写した。参考として記述しておきたい。

＊

博多と、その周辺には数グループのなぞの会があり、うち一グループが清書元（せいしょもと＝当番）となり、句会の一切を取り仕切った。

清書元は、文字通り投稿された句を清書する言葉から出た呼称で、世話人と理解したらいい。まず清書元は、十前後の課題を決め各グループに知らせる。開巻（発表句会）の一、二カ月前で、これから同人の知恵の絞り合いが始まる。「とき（解き）」「こころ」をひねり出す、のだ。

締め切り日までに寄せられた句は課題ごとに整理される。一人何句でも投句できるので、その数は五百を超えることがあった、という。清書元はカーボン紙を使い、点者（選者）の数だけ下巻（句集）を作る。その際は、誰の作品かわからないように名前は記入しない。

点者にはなぞの名人も選ばれたが、書や絵のうまい〝知識人〟も少なくなかった。

点者も楽ではない。たくさんの句のなかから巻頭（一等）、巻軸（二等）各1点、十章（ベスト10）、節（入賞）、チラ（佳作）を決めなければならない。これらを上巻（巻物）に書き写し、さらに上位入選句は色紙に、その他の句は短冊に書いておくことが義務付けられていた。

いよいよ開巻の当日。同人たちが「ワシの作品こそは…」と待ち構えるなか、点者が上巻を開いて読み上げる。最初の句が巻軸（二等）で、続いて十章、チラの順。ときどき節をはさみ、最後が巻頭（一等）となる。一等は「最後に…」というわけ。自分の句が読み上げられると、本人はその場で名乗る。それがめでたく巻頭なら上巻と色紙を、巻軸なら下巻と色紙を、それ以下なら短冊を記念品としてもらえる仕組み。

これらは点者ごとに行われ、発表のたびに座がにぎわう。しかし、上巻に載るのは1割程度で、一度も自分の句が読み上げられない場合もある。半面、出来がいいと、複数の点者にピックアップされることがあり、投句者は記念品を手に鼻高々。このような優れた句を〝通り句〟と言った。なお、句会の運営費は、一句につき2銭といった具合に〝出品料〟が決められており、それで賄われた。

優秀な句は巻物にした

『なぞの研究』（鈴木棠三著）には、時代がよくわからないものの、なぞなぞが盛んだった江戸時代後期（?-）、上方から江戸に下ったなぞの宗匠である竹遊子がまとめた『名曽合（なぞあわせ）』（国立国会図書館蔵）を参考に次のように書いている。「竹遊子の『なぞ』は三段なぞで、百一題ある。巻頭から番号を付し、奥に進むに従い番号が若くなり、巻軸（首位）に及ぶ」「（『名曽合』の）現形は折帖だが、もとは巻物だったに相違ない」とし、さらに「（巻物は）巻軸の作者に賞品として与えられたはずである」と記している。博多とは巻軸、巻頭が逆であるが、句会のやり方も似ていると思う。「博多なぞ」の巻物で、私が知る限り最も古いのは福岡市博物館蔵の明治36（1903）年のものであるが、江戸の様式が江戸時代末から明治時代かけて伝播したのではないかとみることができる。

大正10年ごろの会…元記者の記憶

面白会や博多文林会

大正8（1919）年、東中洲（現・博多区中洲）生まれで、九州日報（西日本新聞の前身の一つ）や京城日報を経て、福岡放送（FBS）の設立に参加。昭和43（1968）年に同社を定年退職した咲山恭三さんは『博多なぞなぞ』（石田順平編）刊行の半年後に『博多中洲ものがたり（前編）』、昭和55（1980）年に『博多中洲ものがたり（後編）』（いずれも文献出版社刊）を出版した。縄文・弥生時代から、明治維新後、イモ畑から近代工業創業の地を経て、西日本一の歓楽街となる東中洲に焦点を合わせた大作であるが、その中でも「博多謎（なぞ）の会」について触れている。

「謎の会は、聖福寺境内の〃高砂会館〃（明治45年竣工）でよく開かれたが、私が五、六歳頃御伴して連れてゆかれ、賞品のマッチ配りなどをした。その頃初めて〃緒方煤鳥〃を見知ったが、当時一番に来ていた子に石田順平（現在石田コンクリート社長）が居た。父は石田庄平（明治18年生れ、昭和30年歿）で、〃面白斎利久〃と号した」

「博多謎は、オチを二つかけるところに難しさがある。謎の会のグループは〃面白会〃をはじめ幾つかあったが〃博多文林〃が最も古くて大きい。明治中期頃からあるが、明治35年7月〃博多文林〃の幹事は上小山町金沢喜助（滅方）、萱堂の喜六（蛙放）となっている」（注・この一文は大正10年代の描写とみられる）

ここに出てくる〃博多文林〃は、戦国時代の博多の豪商、神屋宗湛が所有していた中国・明時代の茶入れ「博多文琳」にちなんで会の名称にしたとされる。「博多文琳」は時の権力者・豊臣秀吉も欲しがったが、断ったという逸話もある。江戸時代に入り、黒田藩主忠之によって黄金2千両、知行地5百石で召上げられ、現在は福岡市美術館に所蔵されている。名器をもじった会の名に博多人の遊び心が感じられる。

「運動会」とかけてなど

『博多中洲ものがたり（前編）』には名人作として5句を紹介している。うち3句を掲載する。

緒方媒鳥作として
運動会　とかけて　**新豆**　ととく
こころは　**はしり出て一着、二着**
（**煎つちゃ喰う、煮ちゃ喰う**）

石田利久作として
十日戎《えびす》　とかけて　**泣きやまする乳呑児**　ととく
こころは　**お宝鯛で笹いっぱい**
（**おたから＝幼児　抱いてササ一杯**）

中村抜天作として
話し声　とかけて　**錦の御旗**　ととく
こころは　**片側桐出して一方が菊**
（**片側きり出して一方が聞く**）

ここの「十日戎」の〝鯛〟について、咲山さんは〝お宝抱いて〟と解釈しているが、単に博多ことばの「──たい」として〝お宝たいで〟と解釈する人もいる。どちらが本意かは泉下の利久さんに聞いてみるしかない。

なぞだらけのなぞ

「なぞ」は平安時代から

なぞなぞは平安時代、和歌から派生し、連歌、俳諧、雑俳などとともに文芸の一つに数えられた。しかし、他の文芸、例えば俳句における正岡子規による写生重視の革新運動のように、変化を求める余地があまりないためか、時には流行するものの、長続きすることはなかったようだ。従って、現代の研究書は鈴木棠三氏の『なぞの研究』（東京堂出版、のち講談社学術文庫）や『ことば遊び辞典 新版』（東京堂出版）、渋谷勲氏の『なぞなぞ』（講談社文庫）などがある程度で、なぞ全般についての知識はこの先達の著作に負うことになる。

三段なぞの誕生は江戸時代の享保ごろか

それらによると、なぞは「なんぞ」という問いかけに答える形式（一重なぞ、二段なぞ）から始まって、江戸時代の元禄の後あたり（享保年間＝1716〜1736）に「○○とかけて△△ととく、こころは□□」といった三段なぞ（三重なぞ）が考案されたという。テレビドラマの〝暴れん坊将軍〟で知られる八代将軍吉宗の治世の頃で、彼は教科書にも載っている「享保の改革」に着手する。幕府の財政立て直しと行政の刷新に取り組み、特に〝倹約〟と米価対策に力を注いだ。目安箱を設けて世論に気遣い、優れた提案は極力実施に移したといわれる。文化にも開明的であり、町人の教育にも熱心だったという。三段なぞはこうした背景のもとに生まれ、それまでの二段なぞに取って代わった。『なその研究』によると、『なぞ本』の出版の面でも、三段なぞの本が主役を占めるにいたり、二段なぞは添え物的扱いで併載された」と。この時点では形式も替わったのだから〝大革新〟といえるが、それもやがてマンネリに陥った。

文化・文政期に再度ブーム

次に三段なぞがもてはやされたのが文化・文政年間（化政年間＝1804～1830）で、十一代将軍家斉の治世下であった。明治維新まで約50年のこの時代は、外的にはロシアやイギリスの船が何かと理由を付けて長崎や蝦夷地（北海道）にやってきて、貿易を求めるなど鎖国下の日本に圧力をかける一方で、内的には幕藩体制が緩み、江戸を中心に町人文化が成熟し、地方ではその土地の文化が形作られた時代である。江戸時代を通して60年周期で起こったとされる〝お伊勢参り〟の最後が天保元（1830）年ごろ。天保12（1841）年には、田辺聖子の著作『姥ざかり花の旅笠～小田宅子の「東路日記」』の主人公、筑前藩底井野（現・中間市）の商家の女将さんで歌人でもあった小田宅子が連れとともに通行手形なしに伊勢、諏訪、日光などを旅している。幕藩体制が制度疲労を起こす一方で、各藩は今の政府と同じように旅行者の使う宿泊費、お土産代などが藩の財政にプラスになることを知り、宿泊時の身元あらためなども形式的になったとされる。

なぞの分野では、先にも触れた東北出身の若い座頭の謎解坊春雪が浅草で〝なぞ解き〟の興行を打ち、空前のブームになったという。ただし、一つしかかかっていない単純な〝こころ〟は新味に乏しく、たちまちのうちに衰退した。

継続、伝承はやおいきまっせん！

記録がない庶民文芸

博多の旧家で、祖父や曾祖父が博多謎々の会に属していた家庭にはなぞなぞの巻軸（巻物）や色紙、短冊が残っている。そこに書かれている句は、彼らが句会に投句し、点者によって読み上げられた作品だ。しかし、どうも庶民というものは祭りにしろ、文芸、演芸にしろ、まとめて記録するという意識が薄いようで、つまり、〝やればいい〟、それでおしまいで整理されないままにしてきたと思える。

石田順平さんが、なぞなぞの名人といわれた父親の句を中心に、昭和54（１９７９）年に書籍化した『博多なぞなぞ』（西日本新聞社刊）については既に触れた。石田さんは平成４（１９９２）年には『フクニチ』の「博多なぞ」欄に投句、掲載された10年分の作品約千点を整理した『新選　博多謎々傑作集』（私家版、１００部）を出版している。これまでちゃんとした形で世に出た「博多なぞなぞ」本はこの２冊だけではないか。

ただし、この時代までは戦前の謎々の会のメンバーが存命だったり、知識としてもっておられる人もおり、刊行されている郷土本（誌）の中に散見できる。

郷土史家の私家版に

郷土史家の波多江五兵衛さん（故人）が昭和45（１９７０）年３月に出版した『博多ことば』（私家版）は博多の言葉を標準語に言い換えた辞典であるが、「博多なぞ」も紹介している。

「解き言葉が二ツ以上かけてあること」などの制約を書き、「博多なぞを作る人には、歌や俳句をしている人たちのように雅号があります」「博多二〇加を作る人は、オチの勉強になるとなぞの会に来るようです」と解説付きで10句あまりを列記している。作者名はないが、おそらく波多江さんの句であろう。約半世紀前らしいものを2句。

ベトナム戦争　とかけて　**怠け者の牧場の見張り**　ととく
こころは　**作戦で（柵せんで）知らぬ顔の反米（半べい）**

東海道新幹線　とかけて　**見つけられた立小便**　ととく
こころは　**尾張駆けたら（終わりかけたら）もう京阪在（軽犯罪）**

波多江さんは網場町で漆器店を経営するかたわら博多について研究、昭和49（1974）年には『冠婚葬祭博多のしきたり』（西日本新聞社刊）、さらに同じ郷土史家で、近くの濱小路（現古門戸町）に住む石橋源一郎さん（故人）と共著で昭和52（1977）年に『思い出のアルバム　博多、あの頃』（葦書房刊）、2年後には『写真集　明治大正昭和　博多』（国書刊行会刊）を出版している。

ちなみに石橋さんは戦前の老舗造り酒屋「鳥羽屋」の〝旦那〟で、芸事が好きで写真が趣味であった。むろん2人とも〝山のぼせ〟（博多祇園山笠大好き人間を地元ではこう呼ぶ）で、そのDNAはご子息にも伝わり、石橋さんの長男、清助さんは博多祇園山笠振興会の会長を5年間（平成8～13年）、波多江さんの長男、五朗さんも2年間（平成18～19年）、同会長職にあり、2016（平成28）年11月、ユネスコの無形文化遺産にも登録されたこの祭りの護持と発展に寄与した。

〝おなら天皇〟ご無礼！

『後奈良院御撰何曽』

室町時代末期（戦国時代）の天皇に後奈良天皇（第百五代、在位1526〜57年）がいる。『後奈良院御撰何曽』（『群書類従　第28輯　訂正三版』収蔵）という著作がある。以下は冗談だが、なぞゆかりの天皇なら〝おなら〟の方が面白いと思うが、そうとはならない。〝ごなら〟と読む。至って真面目な天皇だったという。

『後奈良院御撰何曽』はいわゆる〝三段なぞ〟が発生する以前の「なぞたて」（二段なぞ、一重なぞ）の新旧作品を集めたもので、「〇〇はなんぞ？」と問いかけ、答える形式だ。約200句が収録されており、答えも載っている。しかし、時代とともに言葉、呼称、発音も変わってきていて現代人には理解できない句も少なくない。その中から比較的わかり易いものをいくつか紹介したい。

「〇〇はなんぞ？」

作品は便宜上、最初に「　」内に問いを書き、答えは〈　〉で受けることとする。（　）は私なりの理解の仕方だ。

「ゆきの下よりとけて水のうへそふ」〈弓〉
（ゆきの下がとけてなくなると〝ゆ〟が残り、水の上の〝み〟を添えると、ゆみ、つまり〝弓〟）

「やぶれ蚊帳《かや》」〈かいる〉
（蚊帳に穴が開いていれば蚊がいても不思議ではない。蚊いる、かいる〈現代のカエル〉）

「ちりはなし」〈はいたか＝小形の鷹〉
（ちりがないことは箒で掃いたから。掃いたか、つまり、はいたか）

「母には二たびあひたれども父には一度もあわず」〈くちびる〉
（母と父の発音の際、母は上下のくちびるが二度会うが、父は一度も会わない。ただし、母は当時の読みに従ってファファと発音しなければならない。〝ハ〟の音がかつては〝ファ〟であったことの例としてよく取り上げられる）

「十里の道をけさ帰る」〈にごり酒〉
（十里は二×五里、けさをひっくり返せば〝さけ〟、沈殿していた粕が混ざってにごり酒というわけ）

「宇佐も宮熊野もおなじ神なれば伊勢住よしもおなじかみがみ」〈うぐいす〉
（それぞれのかみがみ（神の上）の音は〝う〟〝ぐ〟〝い〟〝す〟で始まっており、うぐいす）

「ふづくゑの上の源氏の九《原文ママ》の巻」〈ふすま＝襖〉
（ふづくゑは文机で、上の音は〝ふ〟、源氏物語の九巻は須磨（すま）、つまり、ふすま）

「春の農夫」〈たすき＝襷〉
（農夫が春にする仕事は田鋤き、たすき）

「戀には心も言もなし」〈絲＝いと（糸）〉
（戀〈＝恋〉から心と言を取れば、残るのは絲〈糸〉）
「紅の糸くさりて虫と成」〈にじ＝虹〉
（紅の糸偏がなくなり、代わって虫偏になれば虹）
「春日の社」〈ならかみ＝奈良紙〉
（春日の社は奈良の都に鎮座。当時、奈良は紙の産地でもあった。奈良神＝奈良紙）
「ろはにほへと」〈岩なし〉
（いろはにほへと…の〝い〟がない、岩なし）
「上から見れば下にあり下をみれば上にあり母のはらをとをりて子のかたにあり」〈一〉
（それぞれに共通するのは一）
「竹生嶋には山鳥もなし」〈しょう＝笙〉
（琵琶湖の竹生〈ちくぶ〉嶋から山と島〈嶋〉をとれば竹生。一文字にすると、雅楽などで使う竹製楽器の笙）

天皇家の台所は〝火の車〟

後奈良天皇の時代は戦国時代の真っただ中、いわゆる〝守護大名〟は京では権力争いに明け暮れ、地方の豪族は〝戦国大名〟となって領土拡大にしのぎを削っていた。朝廷や天皇家に関心を寄せる大名は少なく、台所は火の車であったようだ。後奈良天皇は後柏原天皇の崩御に伴って践祚《せんそ》したものの、北条、大内、今川氏らの援助で即位の式を挙げたのは10年後だったという。

そういう時代にありながら天皇は清廉な人柄で、古典、和歌、漢籍などに造詣が深い文化人だった。『後奈良院御集』『後奈良院御百集』などの和歌集のほか、当時は和歌などとともに立派な文芸であった〝なぞたて〟の自作、編纂に取り組み、この『後奈良院御撰何曽』を後世に遺した。

喝！　とかけて

蚊に負けない日本の夏　ととく

こころは　キンチョウで退治しとる

（緊張で対峙しとる）

小笠原流　とかけて

綿密な犯罪スケジュール　ととく

こころは　巧く密輸日ば決めとる

（上手く三つ指ば決めとる）

お彼岸　とかけて

公共事業落札の不祥事　ととく

こころは　暗に談合の醜聞

（餡に団子ぅの秋分）

くい打ち　とかけて
茶会前に妻と喧嘩した師匠　ととく
こころは　**ぐらぐらしてから点てられん**
（ぐらぐらしてから建てられん）

てんかのまつりごと（政治、行政）

文科省　とかけて　**足の具合はどうかな**　ととく
こころは　**負傷時の患部がまだ痛か**　※痛か…痛い
（不祥事の幹部がまだ居たか）

《近年は財務省、経産省、厚労省など中央官庁で不祥事が目立つ。文科省もご多分に漏れず2018（平成30）年7月、科学技術・学術政策局長が東京医科大学を私立大学支援の対象校に選定する代わり、自分の息子を合格させてもらうという贈収賄事件が発覚。これがきっかけに私大医学部の不正入学が次々に露見してひんしゅくを買った。今回はうまくすり抜けたすねに傷持つ高官さん、患部が痛みませんか》

丁寧な説明　とかけて　**意外に素直な少年**　ととく
こころは　**紅顔無知でちゃ殊勝なのだ**
（厚顔無恥でちゃ首相なのだ）

《安倍首相はことあるごとに丁寧な説明をするとおっしゃるが、テレビで国会中継を見ていると、関係ないことをしゃべったり、はぐらかしたりとうんざりすることも少なくない。〝まっとう〟だった？少年時代を思い出してほしい》

一強　とかけて　**戦乱に巻き込まれた景徳鎮**　ととく
こころは　**青磁製作が止んでいる**
（政治政策が病んでいる）

《初めて政権を獲得した民主党は党内グループの主導権争いに明け暮れ、そこに「東日本大震災」「福島第一原発事故」が起こり、完全に国民の支持を失った。代わって自民・公明が、２０１２（平成24）年12月の総選挙で大勝し、与党に返り咲いた。首相に就任した安倍晋三氏は景気回復を一番に掲げ「アベノミクス」と呼称した。庶民は期待したものの、実感に乏しいのも事実。一方で巨大与党という「一強」を背景に強引な政権運営が目立っているのも確かだ。景徳鎮は中国磁器の一大集積地で元、明、清王朝を通して栄え、ヨーロッパへも盛んに輸出した》

首相のやじ　とかけて　**集団下痢患者への処方箋**　ととく

こころは　**五人には瀉剤しござった**　※しござる…してありました

（誤認には謝罪しござった）

《瀉剤のせいではあるまいが、委員会席上の安倍首相は落ち着きがなく、２０１５（平成27）年だけでも3回もやじを飛ばしひんしゅくを買った。しかも、事実と異なるやじもあった。一応、謝罪して収まった。その後も２０１９（令和元）年11月の臨時国会でもこりずにやじった。どうもおごりに起因するようで、一国の長としてはどうなのか》

鞍替え　とかけて　**捨て子事件の捜査**　ととく

こころは　**嫌疑から産院に回っとる**　※とる…ている

（県議から参院に回っとる）

《政治家を目指すなら、やはり国家を動かす国会議員になりたい、と思う地方議員も少なくない。一方で国会議員の秘書を務めながら出馬の機会を狙っている人も。さらに参議院から〝格上〟の衆議院を目指す議員もいる。しかし、利害が絡んでおり、鞍替えも簡単ではない。捨て子とはやりきれない》

セクハラやじ　とかけて　**指定先はお化けの出そうな公民館**　ととく
こころは　**避難しても泊まらんばい**　※ばい…です、ですよ
（非難しても止まらんばい）

《やじも言っていいものと悪いものがある。選良にそれが分かっていない人がいるというから民度が低い。国会でのやじは審議を活性化するという擁護論もあるが、本当か。お化けの出そうな施設には誰もが泊まりたくない》

アベノミクス　とかけて　**ｉｐＳ細胞の未来**　ととく
こころは　**心臓の製作に掛かっとる**　※とる…ている
（晋三の政策に係っとる）

《晋三とは安倍首相の名前。経済優先が旗じるしで、自らの政策を「アベノミクス」と強調し胸を張った。しかし、一回目の〝三本の矢〟に続いて二回目も放たれたが、結果をみる限りどうも的を射ていないようだ。だいたい政策で経済が簡単に回復するのなら、過去の首相たちもやったはずだ。ｉｐＳ細胞は地道な研究が続いている》

財源　とかけて　**有力証人が急に不出廷**　ととく
こころは　**不測の辞退で宣誓も中止**
（不足の事態でセンセイも注視）

《国会の予算審議でいつも問題になるのが財源。余るのならいいが、毎年、不足して国債で穴埋めしているのが現状。不測の事態が起きなければいいが—国民も注視している。有力証人が欠席では裁判は進行しない》

オバマ大統領　とかけて　**黒板に数式を書く教師**　ととく
こころは　**（　）付けて解きござる**
（かっこつけて説きござる）

《オバマ大統領は就任早々、核兵器廃絶を目指すと演説。ノーベル平和賞を受賞したが、8年間の在任中、具体的成果があったとは思えない。政治の世界は数学のように正解は一つだけとは限らない。初の黒人大統領の歴史的評価が定まるのには時間がかかるようだ。そういえば筆者は数学がまるでダメな生徒だった》

女帝　とかけて　**ちとオーバーな企業の社訓**　ととく
こころは　**誇大に厳命、厳正、貢献あり**
（古代に元明、元正、孝謙あり）

《この課題は2001（平成13）年4月、小泉純一郎内閣で、外務大臣に田中真紀子氏（田中角栄元総理の娘）

が起用され、歯に衣着せぬ発言で人気を集めた頃の出題。真紀子氏は政策的に官僚と対立したばかりか、失くした指輪の代わりを秘書官に買いに行かせたり、外務省を〝伏魔殿〟と呼んだりとメディアに話題を提供。付いたあだ名が「女帝」だった》

変人　とかけて　**反幕府勢の後ろ盾**　ととく
こころは　**志士方の神は皇室ばい**　※ばい…です
（獅子型の髪は硬質ばい）

《この課題の変人も田中真紀子氏の名セリフから。1998（平成10）年7月に行われた自民党総裁選には小泉純一郎、小渕恵三、梶山静六氏が立候補したが、この3氏を「変人」「凡人」「軍人」と名付けた。言い得て妙。うまい！　〝変人〟はライオンのような髪型で「自民党をつぶす」とまで言った。志士たちは皇室をたてた》

国民投票　とかけて　**熊本地震で受けた広域風評被害**　ととく
こころは　**佐賀スーパー銭湯でちゃあ来んめい**　※めい…ないだろぅ
（差が数パーセントぅでちゃあ混迷）

《熊本であろうが、佐賀であろうが、関東や関西の人たちにとってはひっくるめて九州。地震のほか、台風、豪雨などで被害が報道されると、とたんに広域的に客足が鈍る。地元からすれば「ちゃんと地図ばみて」と言いたくなる。佐賀のスーパー銭湯までも影響があるとは。一方で、英国では2016（平成28）年6月、EU離脱か、残留を巡って国民投票が行われ、離脱に賛成が52％、反対が48％で「離脱」に決まった。そ

の差は4%。民主主義の多数決の原則によって離脱交渉が行われたが、スムーズというわけにはいかなかった》

忖度《そんたく》　とかけて　**ボート遊びシーズンのダム湖**　ととく

こころは　**水量ば余暇用にしとる**　※ば…を　※しとる…している

（推量ば良かようにしとる）

《忖度は2017（平成29）年の流行語の一つ。長期政権となった安倍晋三首相は森友学園「安倍晋三記念小学院」、加計学園の「獣医学部」許可問題で矢面に。「全く関係していない」と主張するも、どうみても担当のお役人が顔色をうかがって「忖度」した疑いは濃厚。もしかしたら首相が指示した可能性もあると、野党は追及した。ボート遊びする余暇はなさそうだ。おっと彼の趣味はゴルフだったっけ》

首相夫人　とかけて　**プロレタリア文化**　ととく

こころは　**時には工人　時には詩人**

（時には公人　時には私人）

《前項に出てくる森友学園問題では首相夫人の明恵さんが一時、名誉校長に就任していたことも分かり、野党側は国会への出席を求めたが、与党は「夫人は私人」などとして拒否。しかし、専属の役人や警護が付き、首相の外遊に同伴するなど公人的側面もある。言い逃れに聞こえてしまう。プロレタリア文化とは懐かしい響きだ》

つたわってきたこと（伝統、芸能、遊び）

出囃子《でばやし》　とかけて　**接待中に運ばれてきたお盆の上**　ととく
こころは　**銚子が載っとらんと支障が起こる**　※とらんと…ていないと
（調子が乗っとらんと師匠が怒る）
《接待にはお酒が付き物で、座を和らげるとともに仕事の話がスムーズにいくことも多い。従って一概に接待はよくないとは言えないが、公金を扱う公務員、あるいはみなし公務員は許されない。手錠が待っている。出囃子は高座に上がる噺家に欠かせない雰囲気づくりの音曲。おろそかにはできない。いいかげんにやったら、そりゃ、怒られますぞ》

神話　とかけて　**長雨で滞った貨物**　ととく
こころは　**晴天には十回運ぶね**
（聖典には十戒　方舟）
《モーゼの十戒は旧約聖書の出エジプト記、ノアの方舟は同じく創世記に記述がある。キリスト教徒でなくても聖書は生活、生き方の参考になる。長雨は困りますね》

あんどん　とかけて　**発展途上国の田植え**　ととく
こころは　**蛭《ヒル》付いても薬なし**
（昼点いても役なし）
《足などにへばりついて血を吸う蛭。想像しただけでゾクッする。にぶい人やぼんやりした人をあざける

際に〝昼行燈〟のごたぁね、と言っていた》

小笠原流　とかけて　**綿密な犯罪スケジュール**　ととく
こころは　**巧く密輸日ば決めとる**　※とる…ている
（上手く三つ指ばきめとる）

《小笠原流は弓術、馬術、武家礼式などの流派の一つ。うち、武家礼式は室町時代に定められ、江戸時代を通して重んじられた。さらに明治維新後、学校教育の礼法に採用され、女性の礼法として普及した。元小倉藩主・小笠原忠忱《ただのぶ》が著した『小笠原流女礼抄』（明治29〈1896〉年刊）が指南書だそうだ》

喝！　とかけて　**蚊に負けない日本の夏**　ととく
こころは　**キンチョウで退治しとる**
（緊張で対峙しとる）

《キンチョウは蚊取り線香の商品名。「喝」とは禅用語で、大声で叱ることや、座禅中に警策で弟子の背中を叩くことなどを指す。「喝！」で蚊が落ちるかどうか》

浪曲　とかけて　**感性に訴える常習の詐欺師**　ととく
こころは　**人情でござると三軒で騙っとる**
（刃傷でござると三弦で語っとる）

《浪曲師が三味線の音に乗って名調子で語っているのは「忠臣蔵」の松の廊下か。詐欺師の名調子、情にからんだつくり話に騙されないように》

河童　とかけて　**高温で意識が薄らいだ男の子**　ととく
こころは　**熱かったから坊しかぶっとる**　※坊…坊や　しかぶる…おしっこをもらす　とる…ている
（暑かったから帽子被っとる）

《河童は頭の皿が乾くと大変。夏には帽子をかぶって水の蒸発を防げば一安心かも。坊やのおしっこをかけるのも一案だなぁ》

浮世絵　とかけて　**討論にたけた米大統領候補**　ととく
こころは　**応酬で勝ち上がっとる**
（欧州で価値あがっとる）

《ヨーロッパでは19世紀以来、ジャポニズムが繰り返し起こる。その中でも浮世絵は、欧州の絵画界に革命をもたらした印象派に影響を与えたとされる。コレクターの関心も高く、よか値段で取引されているようだ。米国の選挙ではディベート（討論）が上手か下手かで勝敗が決まるケースがある》

定番　とかけ　**見慣れたトーク番組の司会者**　ととく
こころは　**さんま　さんまで飽きがきた**

（**サンマ　サンマで秋が来た**）

《テレビでの明石家さんまさんの人気は相変わらず。テンポの良いおしゃべりが若い人らに受けているのだろう。一方、サンマは三陸沖の公海で中国、韓国船などの大型漁船による乱獲で、水揚げは減少気味。庶民の味も心もとない。サンマのない秋なんて味気ない》

扇供養　とかけて　**調整型の総理大臣**　ととく

こころは　**待って治めよる**　※よる…ている

（**舞って納めよる**）

《歴代の総理大臣をみてみると、少なくとも与党内の派閥の意見も聞きながら慎重にことを進める調整型と、自ら発案して突っ走るリーダーシップ型がいる。むろん、その時の議会構成も影響を与えるが、国民には前者は優柔不断と映ってイライラし、後者は強引と不安を感じる。それでバランスがとれているのかもしれない。日本舞踊が得意な首相っていたっけ？》

サーカス　とかけて　**清張の名作初版本**　ととく

こころは　**『点と線』な　やれんばい**　※やれん…やれない、あげられない、実施できない

（**テントせんな　やれんばい**）　※せんな…しないと　ばい…です、ですよ

《貸した本は戻ってこないことが多い。相手が忘れているケースがほとんどだろうが、豪華本ならともかく、

文庫本などは「返して」とは言いにくい。そんな本にかぎって思い入れがあったりして。サーカスは昔ながらのテント興業が似合っている》

役者　とかけて　**年表にみる昭和史**　ととく
こころは　**占領もあれば大婚もある**
　　　　（千両もあれば大根もある）

《大婚とは辞書には天子・君子の結婚とある。敗戦に伴う占領も昭和史の一ページである。昭和、平成の舞台、映画でも千両役者がいたし、だれとは言わないが、大根役者もいた》

隠し芸　とかけて　**殿様に呼ばれた力士**　ととく
こころは　**さらマワシで登城しとる**　※さら…新しい（共通語）　とる…ている
　　　　（皿回しで登場しとる）

《殿様の前に出るのに使い古したマワシではまずいでしょう。さら（新）のマワシで。以前は、みんな隠し芸の一つくらい持っていたものだ。皿回しは練習すればかなりの人がやれて、宴会で喜ばれた》

はやっていること（流行）

ジジおしゃれ　とかけて　**東照宮の彫り物三猿の一つ**　ととく
こころは　**好機　好例も聞かザルげな**　※げな…そうだ
（後期高齢も着飾るげな）

《見ザル、聞かザル、言わザル——は封建時代の庶民の生きる知恵だったかもしれないが、国民主権の現代は見て、聞いて、言うことこそが大切だ。じいさんもおしゃれを楽しもう。若者に負けるな》

長寿美人　とかけて　**世の中を喝破した徒然草の作者**　ととく
こころは　**勇気や才は兼好法師たい**　※たい…です、ですよ
（有機野菜は健康奉仕たい）

《年をとっても健康に気をつけ、おしゃれを楽しみ、いろんなことに積極的に取り組めば輝いて見えること請け合いだ。兼好法師も出家して隠遁生活を送るが、歌人としても優れていた。徒然草は鎌倉時代初期の社会風潮を知り得る史料として今も読み継がれている。有機野菜は長寿美人にも喜ばれる》

エステ　とかけて　**メールでのやりとり**　ととく
こころは　**返信のための送信もある**
（変身のための痩身もある）

《メールとは便利な通信手段だ。一昔前までは手紙やはがき、電話（固定）でやりとりするしかなかった。平成に入って携帯電話が爆発的に普及し、それに伴ってメールも登場した。相手が出なくても送っておけ

ば瞬時に届き、それで意が通じる。やせると人が変わったように見えることもある》

嫌がらせ電話　とかけて　**倹約に走る養鶏家**　ととく

こころは　**飼料が足りずに黄身の悪か**　※悪か…悪い

（思量が足りずに気味の悪か）

《思量があれば嫌がらせ電話など掛けない。あまりしつこいと、警察に訴えられ、お縄をちょうだいする事態に。卵の黄身も変な色だったら〝気味〟が悪い》

ケイタイ　とかけて　**各国の歴史教科書**　ととく

こころは　**どこも英雄が誌上に載っとる**　※とる…ている

（ドコモ　ａｕが市場に乗っとる）

《ソフトバンクが句に織り込まれていたら、携帯市場大手3社そろってうなっていただけるところだったが――一生懸命にひねってみたが、できなかった。英雄が載る教科書は国民をまとめようとする発展途上国に多いみたい》

危険ハーブ　とかけて　**親が死んでも強がり**　ととく

こころは　**訃報にもこうかっとる**　※こうかっとる…威張っている、強気でいる

（不法にも香買っとる）

《新聞には毎日のように有名人、芸能人の訃報が載っている。人間はいつかは死ぬと分かっていても、それを知らされると驚いたり、悲しくなったりするのが常。こうからずに心から冥福を祈りましょう。法に触れる香りは絶対にダメだ》

コピペ　とかけて　**建立したばかりの神社で拝礼**　ととく
こころは　**新造の神像に参ったばい**　※ばい…よ、ですよ
（晋三の心臓にまいったばい）　※コピペ…コピー&ペーストの略。複写して貼り付けること

《安倍晋三首相が広島、長崎の原爆記念（祈念）式典で、前年とほぼ同じ文章のあいさつ文を読んで、コピペという言葉が流行語になった。こころがこもっていないなぁ。神社や神像、お寺の仏像は古い方がありがたみを感じると思うが…》

ゆるキャラ　とかけて　**やや年の離れた夫婦**　ととく
こころは　**十違《とう》うけども仲は熱かよ**
（当地が受けども中は暑かよ）

《ゆるキャラはゆるいマスコットキャラクターの略。各地の自治体や企業がPR、アピールのため知恵を絞って続々と作り出している。くまモン（熊本）、ふなっしー（船橋）、ひこにゃん（彦根）などが有名。でも、ぬいぐるみの中に入っている人は夏は暑いでしょうね。熱中症にかからんごと。昔から年の離れた夫婦は仲がいいと言う。ごちそうさま》

電子書籍　とかけて　**戦闘的なイスラムの若者**　ととく
こころは　**神がイランで呼んでいる**
（紙がいらんで読んでいる）　※いらん…いらない
《勝手に建国宣言した過激なイスラム国（ＩＳ）は周辺国や欧米諸国によって潰されたが、中東ではシリアの内戦が泥沼化。さらにイランと米国の関係が悪化。イラク、イスラエル、パレスチナも宗教・宗派の対立で緊張が続いている。植民地時代のツケが欧米に回ってきていると言える。電子書籍が当たり前の時代がくるのか。紙の本が巻き返すのか》

液状化　とかけて　**女性が無意識で言ったただじゃれ**　ととく
こころは　**ミズが自身で吹き出しとる**
（水が地震で噴き出しとる）
《２０１６（平成28）年4月の熊本地震でも問題になったのが、地下水が吹き出す液状化現象。沿岸部では埋め立て地で起こるケースが多い。議論がかみ合わず、解決の見通しが立たないときも比喩的に使われることがある。だれにでも無意識で言ったことがだじゃれになっていて思わず笑った経験がおありだろう。特におしゃべり好きなミズ（女性の未既婚の区別ない呼称）であれば》

節電　とかけて　**三十三歳で出産**　ととく
こころは　**うちは大厄で子生《な》したよ**　※うち…わたし
（団扇代役でこなしたよ）
《2011（平成23）年3月の東日本大震災に伴う全原発の停止で電力不足が問題化。国と電力会社は節電を呼びかけた。結局、初期には首都圏などで計画停電が実施されたが、全体的には何事もなく乗り切った。その陰に団扇の活躍があったかもしれない。それにしても原発は本当に必要なのか。今では40歳以上の出産も珍しくない》

婚活　とかけて　**たわわに実ったリンゴ**　ととく
こころは　**ぶら下がってその木になっとう**　※とう…ている
（ブラ下がってその気になっとう）
《皮肉っぽい句になってしまった。でも、まだまだと思わず、その気があるなら若いうちからお相手を探すのがベター。今は途中で取り換えることだって簡単にできる。リンゴって小ぶりな木なのに、その枝にはしなるほどの実をつけていて驚かされる》

精力剤　とかけて　**闊歩する新撰組**　ととく
こころは　**京の三条で皆斬っとる**
（今日の三錠で漲っとる）

《一世を風靡した新撰組も精力剤を必要としたかどうか。中年になると、男性の場合、お酒の話題の一つに精力剤がある。その根底には女性が求める男性像―やさしくて、時に強くあれ―があり、やおいきまっせん。最近の新聞広告には精力剤が目立ってない?》

アマゾン　とかけて　**お悔やみ電報**　ととく
こころは　**痛心気遣って打っとう**
　　　　(通信器使って売っとう)

《この場合のアマゾンはネット通販の世界的企業。他の通販とともに今や小売業界の先頭を走っている。お悔やみ電報を打つ時、遺族の痛心を思うと気も重い》

女房依存症　とかけて　**遅か昇《か》き山笠**　ととく
こころは　**追われて見たむなか**　※見たむなか…見たくない
　　　　(負われてみたむなか)　※みたむなか…みっともない

《主夫もいなくもないが、一般には心身とも健康なのに奥さんに負われて〈金銭の場合も含めて〉いるのでは男として引け目を感じるのではないか。博多祇園山笠の〝追い山〟でわが流の山笠が、後ろの流に追い立てられる姿は見たくない》

よのなかのこと（社会）

非正規社員　とかけて　**漁師がみそ味の缶詰づくり**　ととく
こころは　**休漁でサバ漬けとる**
（給料で差ばつけとる）　※ば…で

《労働基準法などの改悪で、あっという間に非正規社員の雇用が増加。企業にとって低賃金が魅力だからだ。この国は大企業の優遇策にばかり目がいくようだ。同一労働同一賃金はどうなった？　みそ味のサバの缶詰は安くてうまい》

たばこ税　とかけて　**今日はかしわの特売日**　ととく　※かしわ…鶏肉
こころは　**トリ安いから駆け寄る**
（取り易いから掛けよる）　※よる…ている

《たばこは習慣性のある嗜好品。健康への害が指摘され、喫煙者は確実に減少しているものの、なお吸い続けている人も少なくない。そこで税不足に悩む政府が狙うのがたばこ税の値上げ。今や全体の6割超が税金だ。たばこを吸わない人間にとっては関係ない事項であるが、同情するとしたらたばこ特別税。列車内や主要駅での喫煙が禁止されているにも関わらず、ＪＲ（旧国鉄）の借金返済に充てられているのだ。愛煙家は怒ってもいいと思うが…。日本人は鶏肉が好きなようですね》

柱時計　とかけて　**ほうけんぎょう**　ととく
こころは　**竹焚く竹焚くぼんぼん**
（チクタクチクタクボンボン）

《ほうけんぎょうとはどんど焼き、左義長のこと。正月のしめ飾りなどを焼く行事で、今も1月中旬の休日を中心に各地で自治会、子供会などの主催で行われている。時折、竹がボンという大きな音とともにはじけて人々をびっくりさせる。数少なくなった柱時計も考えごとをしている時など、ボン、ボンと打ってどきりとしたことがあった》

ＬＥＤ　とかけて　**提出書類に不備があった**　ととく
こころは　**証明の発行はせんめいや**
（照明の発光は鮮明や）　※せんめいや…しないだろうな

《ＬＥＤは発光ダイオードのこと。開発がむずかしい青色が１９９０年代初めに日本人の赤崎勇、天野浩、中村修二の３氏によって発明され、これで光の三原色がそろい応用範囲がグンと広がった。寿命が長く、消費電力も少なく照明、通信、センサーなど利用は多岐にわたり、３氏は２０１４年、ノーベル物理学賞を受賞した。お堅いところが役所であると知っているが、提出書類の多いのには閉口する》

女子会　とかけて　**点灯した審議ランプ**　ととく
こころは　**馬場でも撚ったらそうとなる**

（**婆でも酔ったら躁となる**）

《婆とは失礼しました。うまい言葉が見つからず、使わしていただいた。でも、確かに最近、高齢の女性が集まって気炎を上げているところに出くわすことも珍しくない。競馬ファンも増えているかも？　競馬場では時々、審議のランプが点滅、確定までイライラすることがある。的中していれば…の話だが》

化粧　とかけて　**北方民族の衣装**　ととく
こころは　**厚くても篤く縫っとる**
（**暑くても厚く塗っとる**）

《「美しくありたい」「伝統を守りたい」。気温が高い低い、生地が厚い薄い——などと言ってはおられません。衣装も化粧も女性の心の支えになっている。厳しい自然環境で生活している北方民族は信仰も篤い。夢中で化粧する女性は熱い》

水害対策　とかけて　**毎朝仏壇にご飯とお茶を**　ととく
こころは　**供えあれば愁いなし**
（**備えあれば憂いなし**）

《仏さまとご先祖さまを祀る仏壇の世話をすれば確かに気持ちが落ち着く。一方の災害は忘れたころにやってくるからご用心。準備を怠りなく》

天引き　とかけて　**写真を始めた料亭の女主人**　ととく
こころは　**女将は撮りやすいところから撮っとる**
（**お上は取り易いところから取っとる**）

《税金の捕捉率について、かつて964（くろよん）とか言われたことがある。サラリーマン9割、自営業6割、農林水産業4割というわけだ。今はどうなっているのだろうか。このところ狙われているのが年金族だ。地方税、健康保険料などが年金から天引きされている。取り易いからだろう。女将さん、いい写真を撮ってください》

産婦人科医不足　とかけて　**高天原《たかまがはら》でギャンブルに賭けた**　ととく
こころは　**神国で馬連ばい**
（**深刻で産まれんばい**）　※産まれん…産めない

《ギャンブルも単勝、連複から、1、2、3着を当てる3連単など〝高度〟な券が発行されている。当てればより高額な配当を得られるようにするためだ。医者不足の中で深刻なのが産婦人科医。政府は出生率の向上に手を打っているようだが、その足元が揺らいでいる》

自己破産　とかけて　**長方形の広さの計算**　ととく
こころは　**面積を求めて掛けとる**　※とる…ている
（**免責を求めて賭けとる**）

《自己破産も再建策の一つだが、借金して返せなくなったら夜逃げが一番と、ある弁護士から聞いたことがある。本当かな？　長方形の面積は…これくらいはみんな知っているでしょう》

笑点　とかけて　**航空母艦の艦載機**　ととく
こころは　**視界の後退で各機戻っとる**　※とる…ている
　　　　　（司会の交代で活気戻っとる）

《「笑点」は１９６６（昭和41）年5月から毎週日曜夕方に、日本テレビ系で放映されている演芸の人気長寿番組。２０１６（平成28）年5月には長らく大喜利の司会をしていた桂歌丸が勇退。誰が司会者になるかで注目されたが、自薦他薦？の末、中堅の春風亭昇太が獲得した。この若返りをきっかけに番組も活気づいた。艦載機にとって無理は禁物。着艦できないと…笑ってなんぞいられまっせんぞ》

保育士　とかけて　**休憩のない作業に欠勤者続出**　ととく
こころは　**小休止なくて不足の事態となっとう**
　　　　　（昇給しなくて不測の辞退となっとう）　※なっとう…なっている

《２０１６（平成28）年2月、ネットのブログに掲載された「保育園落ちた　日本死ね」の文字は強烈であった。都市部を中心に保育園の定員不足と、低賃金による保育士不足が年々深刻になり、政府・与党も対策に大あわて。むろん、女性票を失いたくないとの心理も。ベルトコンベアに働かされ続ければ欠勤もしたくなります》

伏魔殿　とかけて　**秋のくじゅうは眺めのよか**　ととく

こころは　**登れば空気の澄んどう**

（昇れば喰う鬼の棲んどう）

《昇殿を許され、勇んで出かけたら鬼が大口を開けて待っていた―などこわい話ですね。その点、山の空気はおいしい》

少年棋士　とかけて　**悪性腫瘍の治療**　ととく

こころは　**抗癌で点滴ば打ちござる**　※ござる…してらっしゃる

（紅顔で天敵ば討ちござる）

《私ごとながら妻の抗癌剤治療に付き合った。知ってはいたけど副作用で髪が全部抜けたのは悲しかった。本人はそれ以上に苦しんだと察する。棋界には当時中学生の藤井聡太四段が２０１６（平成28）年12月にプロデビュー。以来、破竹の勢いで勝ち続け、翌年7月までに29連勝した。これまでの連勝記録28勝を30年ぶりに更新した》

週刊誌　とかけて　**超ロングヘアのお嬢さん**　ととく

こころは　**地上に髪着いとう**

（痴情に噛み付いとう）

《政治家、芸能人の不祥事はいろいろあるが、週刊誌が狙うのは不倫、W不倫、結婚、離婚、別居、薬物など。この分野で特ダネを連発した『週刊文春』には〝文春砲〟という〝名誉〟ある呼称が付けられた。伸ばした髪が地面に着くまで何年、何十年かかるのでしょうか》

消防士　とかけて　**強風下のヨットレース**　ととく
こころは　**心配呈しでも帆走しよる**
（心肺停止でも搬送しよる）

《火事に救急にと消防士さんは大忙し。心肺が停止していても緊急処置や手当てで一命を取り止める可能性はある。頑張ってください。ヨットマンの方は強風にご用心》

警察不信　とかけて　**若い子が売りのキャバクラ**　ととく
こころは　**ミスばっかりでまた通う**
（ミスばっかりでまたかよう）　※またかよう…またですか

《人数が多いと不届き者が交じることはやむを得ないが、身近な警察官の窃盗、のぞき、盗撮などは庶民の顰蹙《ひんしゅく》を買うばかり。でも、警察官がキャバクラに通うことまでは否定できまい。彼らにも自由がある》

めぐりめぐってくること（季節、干支など）

花冷え　とかけて　**魚の旨い季節の到来**　ととく
こころは　**沿海の鮭は寒がよかげな**　※よかげな…いいそうだ
（宴会の酒は燗がよかげな）

《秋から冬にかけて日本酒は人肌の燗がいい。ただし、今は焼酎党も多く、国内の消費量は逆転している。日本酒もがんばれ。鮭は産卵のため遡上する寒い時季のものがおいしい》

大安吉日　とかけて　**旬の魚の包みつみれ**　ととく
こころは　**四季ごとぃ海苔《のり》と揚げとる**　※ごとぃ…ごとに　とる…ている
（式ごとぃ祝詞上げとる）

《戦後、集団結婚式もはやったけど、やっぱし祝詞は一組ごとに上げてもらわないと、ありがたみがない。つみれはお酒の肴にもなる》

酉《とり》年　とかけて　**最下位ランナー**　ととく
こころは　**前が去るで後ろが居ぬ**
（前が申《さる》で後ろが戌《いぬ》）

《酉は十二支で申の次の十番目。まだ後に戌、亥《いのしし》がいる。ランナーは全員に先行されたら後ろにはだれもいない。足が一層重くなる》

厳冬　とかけて　**上場後も元気なベンチャー企業**　ととく
こころは　**東証で値ば上げとる**
（**凍傷で音ばあげとる**）

《こんな経済状態でも儲けている企業（人）はある。しかし、世間をはばかってか、声を大にして「儲かっとう」という企業（人）はまずない。税務署が怖いし、将来に不安があるからだ。でも、東証一部で株価が上がるということは一流の証し。冬の登山はくれぐれも気をつけて》

マスク　とかけて　**大入り満員の競馬場**　ととく
こころは　**席混んで賭けとる**
（**咳き込んで掛けとる**）

《インフルエンザに黄砂、PM2・5、花粉症などと「マスク」の需要は増えるばかり。コンビニ強盗のマスクは使用目的外で、いただけない。混んでいることが分かっていても行きたいのが競馬場。ファン心理とはそういうものらしい》

テルテル坊主　とかけて　**できものの様子を聞く**　ととく
こころは　**腫れて膿んどうかい**　※膿んどう…膿んでいる
（**晴れて運動会**）

《子どものころの楽しみは運動会や遠足など。でも、明日の天気予報は芳しくない。テルテル坊主を作って軒に吊るし、「あーしたてんきになーれ」。時には予報が外れて「晴」となるから不思議だ。昔は膿《うみ》のたまるできものがよくできていた。栄養状態が悪かったためだろう》

残暑 とかけて **佐賀牛のスペシャルステーキ** ととく

こころは **厚かけん飽きのこんばい** ※けん…から

（暑かけん秋の来んばい）

《人間の欲望の肥大が地球環境そのものまで変えている。日本では春夏秋冬の四季が崩れて、春と秋が短くなっているようだ。亜熱帯化しつつあるのではないか。気象庁によると、気象用語としての残暑は立秋（8月7日ごろ）から秋分の日（9月23日ごろ）までの暑さに使用するという。さすがに9月に入ると、猛暑日（日最高気温35℃以上）はまれではあるが、真夏日（同30℃以上）が続くというケースは珍しくない。佐賀牛のステーキを食べてスタミナをつけたいところであるが、何せ値段がお高く日常的には無理。米国産、豪州産の安い肉で我慢することに》

きまりことばのこと（格言、常套語、熟語）

返り咲く　とかけて　**あえなく降格**　ととく
こころは　**至福から非役ぃなっとる**
　（雌伏から飛躍ぃなっとる）

《博多なぞなぞでは、〝こころ〟の二つの文意がより離れていることも望まれる。この句はそれに沿ったものと言えまいか。一方が幸福から不幸に、他方が不幸から幸福になっているからだ。でも、句会でもらった評価は低かった》

うやむや　とかけて　**苦手な英語で尋ねられた**　ととく
こころは　**I　m y　y o u て放しなれん**　※なれん…ならない、てくれない
　（曖昧言うて話しなれん）

《町を歩いていて、英語で話しかけられることがある。得意な人はすらすらと返事ができるだろうが、私を含め不得手な人はどぎまぎする。しかもなかなか解放してくれない場合は逃げ出したくなる。ハワイで白人の老婦人から道を聞かれた時は本当に参った！　ものごとはうやむやにしてはいけない》

馬面《づら》　とかけて　**強い日差しに置かれたおにぎり**　ととく
こころは　**そのまんま干菓子たい**　※たい…だ、だよ
　（そのまんま東たい）

《タレントのそのまんま東は元宮崎県知事の東国原英夫氏。２００７（平成19）年１月の知事就任時の演説

で使った方言交じりの「宮崎をどげんかせんといかん」は共感を呼ぶとともに流行語にもなった。それにしてもお顔は長ーいですね。干菓子も長持ちする》

秋波《しゅうは》　とかけて　**焼物好きな人にお祝い**　ととく
こころは　**贈るのは青磁か**
（送るのは政治家）

《秋波とはもともと秋の澄み切った波を言ったが、それが女性の涼しげな目元の意味となり、さらに男性の気をひく流し目、色目に変化。また「秋波を送る」というフレーズが生まれ、政治記者の間で、「他党派に誘いかける」などの際に使われるようになった。派閥の長を「領袖《りょうしゅう》」と呼ぶのも政治用語の一つ》

面の皮　とかけて　**真夏の長期停電**　ととく
こころは　**暑うして暮らせんばい**　※暑うして…暑くて
（厚うしてくらせんばい）　※厚うして…厚くて　くらせんばい…殴れないよ

《面の皮が厚くて殴れないというのだからすごい人物に違いない。石でできているのかもしれない。最近の夏は気温が35℃を超えることが何日もあり、「もう暮らせん」と言いたくなる》

つまみ食い　とかけて　**武田鉄矢得意の博多弁**　ととく
こころは　**〝とっとうと〟は可笑しか**　※とっとうと…取っているの

（盗っとうとはお菓子か）

《つまみ食いもお菓子くらいならかわいいが、銀行員や役人のつまみ食いは預金者のお金だったり、血税だったり、しかも額が大きな場合もあり、許しがたい。鉄矢の〝どっとうと〟は何べん聞いても笑ってしまう》

鳥肌　とかけて　**人気歌舞伎役者のそろい踏み**　ととく

こころは　**観劇に続々と来とる**　※とる…ている

（感激にゾクゾクときとる）

《歌舞伎の入場料は一般演劇に比べて高い。それだけ充実した舞台が求められているといっていい。これに応えているかどうかは別にしてファンは多い。できれば人気役者総出演の震えるようなお芝居が見たい》

後がない　とかけて　**河川汚濁の専門家**　ととく

こころは　**関心は排水にあった**

（韓信は背水にあった）

《紀元前、秦王朝の跡目を漢の劉邦と楚の項羽が争い、漢王朝の成立をみるが、股くぐりでも知られる漢の知将・韓信は弱兵を率いた際、川を後ろに陣を敷いて戦い、勝利したとされる。後がない兵士が死にもの狂いで戦ったためだ。「背水の陣」という言葉が生まれた。汚水をそのまま川に流したら違法。刑事罰

を受けることもある》

とっておき　とかけて　**人生を俯瞰《ふかん》した小説**　ととく

こころは　**かくして老いてござる**

（**隠して置いてござる**）

《小説家の司馬遼太郎氏に「時代小説はその人の一生が俯瞰できる点に魅力がある」といった意味の発言があったように思う。ただし、われわれ庶民は後世に残るようなこともやっていないし、ただただ老いていくだけ。隠して置く大切なものもない》

瓜二つ　とかけて　**酷暑で食中毒に神経質**　ととく

こころは　**あのソーセージは煮とうばい**　※とう…ている　ばい…よ、だよ

（**あの双生児は似とうばい**）

《双生児でも一卵性の場合は瓜二つであることが多い。酷暑下ではソーセージも火を通した方が無難だ》

やせ我慢　とかけて　**迫力のない団体交渉**　ととく

こころは　**再交渉でも喚起しとらん**　※しとらん…していない

（**最高賞でも歓喜しとらん**）

《最近の春闘の盛り上がらないこと。スト権は立ててもストはなし。経営陣が特に強いとは思えないが、

労働側に迫力がありまっせんなあ。再交渉となっても闘志を呼び起こせない。やせ我慢をする場合じゃないのではー》

一段落　とかけて　**素人の博多にわか**　ととく
こころは　**やっとオチ付いとう**
（やっと落ち着いとう）

《大きな舞台に立てばにわかのベテランでもセリフを忘れることがある。そうなるとオチにたどりつくまでが大ごと。一段落したら汗びっしょり》

らっぱ飲み　とかけて　**「とんでもない」と庄屋さん**　ととく
こころは　**一揆加勢は聞けんばい**
（一気呵成は危険ばい）

《庄屋さんは基本的には体制側。いくら藩政に問題があるといって、一揆に加勢するわけにはいかない。身に危険が及ぶことになる。一気飲みも危険だ》

けじめ　とかけて　**内定決定で喜ぶ学生**　ととく
こころは　**就活でイエーイ取ったよ！**
（終活で遺影撮ったよ）

《最近は終活も広がっていて、イベントに棺桶、骨壺などが展示されることもある。遺影用の撮影会も珍しくない。それに比べると、若い人はうらやましい。「イエーイ」とこぶしを突き上げて喜ぶ姿が目に浮かぶ》

八つ当たり　とかけて　**追い山で緩んだ締め込み**　ととく
こころは　**押さえて廻り止めに入っとる**
（抑えて周り止めに入っとる）

《追い山は博多祇園山笠の最終行事。毎年7月15日早朝、七流の舁き山笠が廻り止めまで約5キロの距離に速さを競う。締め込みが緩んでは話になりまっせん。負けたからといって八つ当たりはいただけない》

ざっくばらん　とかけて　**真面目な画家の信念**　ととく
こころは　**描く仕事は線正確が良か**
（隠し事はせん性格が好か）　※せん…しない

《話し相手がざっくばらんな人であれば気分がいい。対して正確さを求める真面目な人は息苦しいかもしれない。が、絵の基本はデッサン。せんでは大成は無理でしょう》

たべたりのんだりすること（飲食、食べ物）

回らん寿司　とかけて　**裏目に出た働き方改革**　ととく
こころは　**降給で自家用車がなかばい**　※なかばい…ないです。ありません
（高級で時価容赦がなかばい）
《寿司といえば回転するベルトで出されるものと思っている子どもたちもいるのではないか。しかし、一昔前まではカウンターに座ってゆっくり食べるのが普通であった。ただ、高級店の価格表にある「時価」には注意が必要。容赦のない？値段であることが少なくないからだ。政府が推進する働き方改革で、残業代などが減ってローンが払えず、マイカーばかりかマイホームを手放さざるを得ない人も続出している》

唐揚げ　とかけて　**カップルに宝石店がアドバイス**　ととく
こころは　**カラット重視ぃがよかばい**
（カラッとジューシィがよかばい）
《唐揚げは外はカラッと、中はジューシーなのが一番おいしい。宝石店の2人は結婚間近なのか、熱心に見入っている。女性は、アドバイスどおり大きなダイヤの指輪にこだわっている様子だ》

ナマコ　とかけて　**電柱にとまったカササギのつがい**　ととく
こころは　**巣を架けて生殖しとる**　※とる…ている
（酢を掛けて生食しとる）
《カササギは、佐賀ではカチガラスと呼ぶ。秀吉の朝鮮出兵の際、鍋島藩が連れ帰ったともいわれている。

電柱の上にも巣を架けるが、巣の素材に金属が交っていればショートして停電の原因になる。鳴き声はお世辞にも美声とはいえない。活動範囲が狭く、佐賀平野や筑後平野の一部にとどまっていたが、かなり前から福岡平野でも目撃、鳴き声情報が寄せられている。グロテスクな姿のナマコを最初に食べた人はスゴイ！》

マリネ　とかけて　**発情したメスの鳴き声**　ととく
こころは　**オスが聞いて駆け寄る**
（お酢が効いて掛けよる）　※よる…ている

《人間を含めてオスはメスに選ばれなければならないから、やおいきまっしぇん（大変です）。マリネに使用する酢も上等なものを選びたい》

ギョウザ　とかけて　**家畜同士の痴話げんか**　ととく
こころは　**妬《や》いとう方が馬か**　※とう…ている
（焼いとう方が美味か）　※美味か…うまい

《どういうわけか、3句続けてオスとメスに関する「こころ」となった。食欲と性欲は親戚なのかもしれない。馬が妬いている相手は？　個人的には水ギョウザより焼きギョウザが好きだ》

うどん　とかけて　**殿様の自慢は褒められぬ**　ととく

こころは　**手討ちが上手《うま》かげな**　※上手か…上手い　げな…だそうだ

（手打ちが美味かげな）

《封建時代とはいえ、恐怖政治では藩士、領民の心をつかむことができず、長続きするものではない。手討ちが自慢なんてとんでもない。うどんはむろん手打ちがおいしい》

とんがらし　とかけて　**気弱な先生に反抗**　ととく　※とんがらし…とうがらし

こころは　**なめてからかっとう**　※からかっとう…からかっている

（舐めて辛かっとう）

《先生をなめてもからかってもいけない。身に覚えのある大人はいませんか。とんがらしはうどんやそば、丼物などに欠かせません》

すっぽん鍋　とかけて　**福引で一等賞**　ととく

こころは　**こら〜験のよかばい**　※よかばい…いいですよ

（コラーゲンのよかばい）

《すっぽんは強精に効くと珍重されるが、コラーゲンもたっぷり。お肌がツルツルになり、特にご婦人方が喜ぶ。そして一等賞に当たればほんに験がいい》

いきもののこと（動物）

クジラ　とかけて　**激しさをます与野党対立**　ととく

こころは　**南極で捕獲が中止されとる**　※とる…ている

（難局で保革が注視されとる）

《政府は2018（平成30）年12月、国際捕鯨委員会〈IWC〉からの脱退を発表した。と同時に、19年からの南極の海での調査捕鯨は中止となった。これまで流通している鯨肉のほとんどはこの調査で得られたものだ。代わりに政府は伝統の食文化を守るとして日本近海での商業捕鯨を制限つきで認め、同年7月から漁が始まった。米国をはじめ自国第一主義の台頭で国際的にも難しい局面を迎えており、保革がどう動くかにも注目したい》

イルカ　とかけて　**カメラにむりな注文**　ととく

こころは　**過去って撮られんけん買われん**　※けん…から

（囲って獲られんけん飼われん）

《和歌山県・太地町のイルカ追い込み漁は、かなり前からシー・シェパードなど反捕鯨団体の標的になってきたが、2014（平成26）年、世界動物園水族館協会がこの漁で捕獲したイルカが国内の水族館で飼われていることなどを理由に会員資格停止に。地元は伝統産業、文化などと反論したものの、多くの水族館は太地町からの購入を取りやめた。乱獲は批判されていいが、クジラ・イルカの愛護の面から一方的な攻撃は困ったものだ。過去が撮れるカメラがあるなら私も欲しい》

なめくじ　とかけて　**真面目と評判な男の横領事件**　ととく

こころは　**艶聞聞いて解けた**

（塩分効いて溶けた）

《時として「あの人が…」と世間を驚かす事件が起きる。聖人君子などいないと思っていた方がよさそうだ。消えてなくなりたくない、となめくじ君》

ネコ　とかけて　**映画にみる三度笠姿**　ととく

こころは　**股旅にトビ付く**

（マタタビに飛びつく）

《三度笠をかぶった股旅物。空にはトビ（トンビ）がのんびり輪を描いている…時代劇映画に出てきそうな一シーン。ネコがマタタビを好むのは、性的興奮をさせる媚薬だからそうだ》

かげろう　とかけて　**大酒飲みのご自慢**　ととく

こころは　**一升賭して吐かない**

（一生として儚い）

《成虫となったかげろうの寿命は短い。種類によって異なるものの、1時間から数日といわれる。儚いもののたとえとして使用されるケースもあり、古典の『蜻蛉《かげろう》日記』もその一つ。一升飲めるか、飲めないか、賭けていれば簡単に吐くわけにもいくまい》

ネズミ　とかけて　**親孝行の二宮金次郎**　ととく
こころは　**別称は忠孝たい**　※たい…です
　　(蔑称はチュー公たい)
《戦後であったが、通った小学校の校庭に柴を背負って歩きながら読書する二宮金次郎像が残っていた。チュー公もまさかかじるまい》

イヌ　とかけて　**アル中の夫に辟易《へきえき》の女房**　ととく
こころは　**酒類を軽蔑してペッと吐く**
　　(種類を系別してペット博)
《イヌやネコを飼っている家庭は何割くらいあるのだろうか。アル中の夫に比べればかわいい。でも、一度惚れた相方に唾を吐くこともあるまい。いろんな種類のイヌやネコが血統書付きで出品されるペット博はいつも盛況だ》

カエル　とかけて　**自民・公明の連立与党**　ととく
こころは　**合従して為政を執っとう**　※とう…ている
　　(合唱して異性を取っとう)
《メスはどの声の主が種族を残す相手にふさわしいかと真剣に聴いていることだろう。合従連衡《がっしょうれんこう》して一度権力の座に就くと、離れがたきもののようだ》

うんどうのこと（スポーツ）

なでしこ　とかけて　**瑞穂の国を強調する団体**　ととく
こころは　**米穀食うて街宣しとる**
（米国くうて凱旋しとる）

《ナデシコは清楚な花で、日本女性の例えであった。今では日本の女子サッカーのリーグ名で、日本代表の愛称。２０１１(平成23)年夏のワールドカップで強豪・米国をPK戦の末に破って初優勝。なでしこフィーバーが起きた。ただ、その後はやや低迷している。街宣するにもエネルギーがいる。肉や魚など動物性タンパク質も必要ではないか》

北京五輪　とかけて　**落ち着いてきた新入社員**　ととく
こころは　**成果上げたら自信になった**
（聖火挙げたら地震になった）

《２００８(平成20)年夏の北京五輪は経済的にも大国になった中国が、威信をかけた一大イベントだった。その聖火リレーの最中、四川大地震(死者約9万人)が発生したものの、五輪は予定通り開催され、中国は自信を深めた。企業は即戦力に期待している》

鉄腕　とかけて　**分裂騒動で悩ましい政党トップ**　ととく
こころは　**解党で憂愁な党首**
（快投で優秀な投手）

《西鉄ライオンズ時代を知る野球ファンにとって鉄腕といえば稲尾和久投手であった。先発、リリーフにと大活躍。「神様、仏様、稲尾様」と呼ばれるほど信頼が厚かった。年間勝利42勝は戦前のスタルヒン投手と並ぶ日本最多勝。この記録は破られることはあるまい。野党は小党乱立で党名さえ覚えきれない。憂いているのは党首ばかりではない》

キックオフ　とかけて　**ネコに八つ当たりのオンブズマン**　ととく
こころは　**タマけって公憤しとる**
（**玉蹴って興奮しとる**）

《分析力に長けたオンブズマンでも、開示資料が真っ黒だったりして追及できない場合もある。たまにはタマちゃんに八つ当たりすることもあるかもしれない。サッカー、ラグビーは玉を蹴って試合が始まる》

アビスパ福岡　とかけて　**大事な補導員の活動**　ととく
こころは　**いつも少年ば担っとる**
（**いつも正念場になっとる**）　※とる…ている

《補導員の活動は地味であるが、少年（少女を含む）の将来を担っているともいえる。地元のプロサッカーチームはＪ２に降格したり、Ｊ１に昇格したりとハラハラさせてくれる》

快進撃　とかけて　**いいかげんな猫の飼い主**　ととく
こころは　**飽いて毛散らかいとる**
（相手蹴散らかいとる）　※かいとる…かしている

《２０１６（平成28）年のプロ野球ペナントレース。セ・リーグは広島東洋カープが２位巨人に二けたのゲーム差をつける〝神ってる〟快進撃で、25年ぶりに優勝した。ペットといえば断然、犬か猫が多いが、自宅の庭の池に一匹１００万円以上もする鯉（カープ）を飼って（買って）目を細めている金持ちもいる。ペットの飼い主は責任を持って》

大谷選手　とかけて　**女性の労組委員長**　ととく
こころは　**婚期も擲って闘うげな**
（今季も投げ打って戦うげな）　※げな…そうな

《２０１７年12月、大谷翔平選手はポスティング制度を利用してプロ野球・北海道日本ハムファイターズから米大リークのロサンゼルス・エンゼルスに移籍。ファイターズ時代と同様、投手と打者の〝二刀流〟に挑戦。１年目は大活躍で新人王を獲得。２年目はヒジの手術を受けて打者に専念した。婚期という言葉も聞くことが少なくなった現在、女性組合員の地位向上のためにも頑張ってください》

ひとそれぞれのこと（人間）

芸達者　とかけて　**どうでもいい仕事**　ととく
こころは　**使命なしで疲労しとる**
（**指名なしで披露しとる**）
《踊りや手品はおろか、歌も音痴の身には芸達者はうらやましい。そりゃ、指名がなくても披露したいでしょう。仕事の多くは使命感に燃える人によって維持されていると思うが、中にはいい加減なものもあるらしい。お疲れさまです》

金婚式　とかけて　**九州王朝を乗っ取った大和政権**　ととく
こころは　**史上でも磐井抹消**
（**紙上でも祝いまっしょう**）
《筑後を拠点にした磐井は九州王朝の大王だったという説も出ているが、大和側の古資料は豪族扱い。「歴史」は勝者の歴史だということか。九州の複数の新聞社では、金婚式を迎えた夫婦を表彰することが恒例（高齢）化している。販売競争の一面を垣間見る思いがする》

ふてくされ　とかけて　**壁を背にオナラを放《ひ》る**　ととく
こころは　**プーッとしてなんかかっとる**　※なんかかっとる…もたれかかっている
（**ぷーっとして何か買っとる**）
《機嫌が悪くなると、買い物をしたくなる女性もいるようだ。これが消費の一部を支えていると思うと、

なんとなくおかしい。おならは時を選ばないから困りますね。壁になんかかっている時だって》

生涯学習　とかけて　**食品監視員の所見**　ととく
こころは　**過大はないようだ**
（課題は内容だ）

《生涯学習はこのごろあまり聞かなくなった言葉の一つ。安倍首相が「一億総活躍社会」で求めているのは学習ではなく労働だ。監視員の皆さん、包装だけでなく残留農薬や保存剤などのチェックもお忘れなく》

救急車　とかけて　**ヨーロッパに留学した学者**　ととく
こころは　**滞欧して究明しとる**
（対応して救命しとる）

《ピーポー、ピーポーを聴かない日は一日もない。隊員さん、本当にご苦労さま。明治時代の留学は欧州が圧倒的に多かった》

酒癖　とかけて　**気の毒なホームレス**　ととく
こころは　**無く、障《さわ》る、食べん**
（泣く、触る、多弁）

《酒癖の悪い人っていますね。みんなに嫌われてもしかたがない。ホームレスになるには種々の事情があ

るようだ。障るは病気になるの意味》

屁理屈　とかけて　**マラソン選手のラストスパート**　ととく
こころは　**振ってうまく離しとる**　※とる…している
（**ふって巧く話しとる**）　※ふって…ひって

《マラソンが1万メートル競走の延長といわれて久しい。かつては持久走の部類で、下位から追い上げて首位を奪うケースが多かった。今は序盤から何度も振って（スパートして）、それに残った者同士が上位を占めるケースがほとんど。あ、おならをふっちゃった。知らないふりをして話をつづけて誤魔化さなくちゃ。ふるは西日本に多い方言らしい》

べっぴんさん　とかけて　**ホラー漫画の戦闘シーン**　ととく
こころは　**シャレコウベ部隊に進攻しとる**
（**洒落神戸　舞台に進行しとる**）

《NHKの朝の連続テレビ小説がこのところどれも好調だ。脇役に人気のあるイケメン、あるいは知られたベテランを配しているのも一因と考える。2016（平成28）年度の後半の「べっぴんさん」は神戸が舞台。ホラー漫画は面白いですか》

ごろつき　とかけて　**試合前日の農家の母親**　ととく

こころは　**田刈ってカツ揚げしとる**

（たかって喝あげしとる）

《取り締まりが厳しくなったせいか、歓楽街でも一見してごろつきとわかるようなお兄さんも少なくなったが、時代に合わせて静かに潜行している連中もいる。お巡りさん、引き続き頼みますよ。選手の母は農作業を終えると、縁起をかついで〝とんかつ〟を揚げはじめました》

いろいろなこと（雑句）

アリバイ　とかけて　**メモ読み大臣の講演**　ととく
こころは　**照明がないと話しなれん**　※なれん…てくれない
　　　　（証明がないと放しなれん）

《２０１８（平成30）年暮れから翌年にかけて、メディアの注目を集めた日産のカルロス・ゴーン会長の不正蓄財事件。本人はすべてを否定し、決着は裁判所の判断に持ち越されたが、その過程で海外から日本の長期勾留などの司法制度に対する批判が報じられた。確かに日本の制度は厳格で、ありふれた事件でも一度捕まると、アリバイでもなければなかなかシャバに出してくれない。舞台の照明が消えて立ち往生しているのはあの五輪担当大臣。国会で秘書官から渡されたメモを棒読みしたり、読み違えたり。おまけに失言を繰り返して２０１９年４月、事実上更迭された。当時はやったルーペのテレビＣＭ風に言えば「暗くてメモが読めない！」》

血糖値　とかけて　**今年はムシにやられた**　ととく
こころは　**変色した実が木ぃなっとる**　※ぃ…に
　　　　（偏食した身が気ぃなっとる）

《ムシにやられた果物は諦めるしかないが、血糖（血液中に含まれる糖分の濃度）の数値は気になるでしょう。高ければ糖尿病、心筋梗塞、肝硬変などの原因になり、低ければ頭痛、めまい、イライラ、ひいては昏睡に陥ることもあるというから厄介だ。どちらにしても長い間の偏食、不規則な生活、運動不足に起因する。あらたむるに憚ることなかれ》

ぶらんこ　とかけて　**名人が焙煎したコーヒー**　ととく
こころは　**挽いて飲んで濃いで美味《うま》かった**
　　　（引いて伸んで漕いで上手かった）　※伸んで…伸びて
《ぶらんこ、滑り台、砂場はどこの公園にもあったが、最近はぶらんこを撤去している所も珍しくない。事故を恐れてのことらしい。分からないでもないが、少し寂しい気もする。コーヒーの味が分かるとはッウだ》

富士山　とかけて　**斎場は満杯げな**　ととく　※げな…だそうだ
こころは　**看取っても空かんばい**　※ばい…です、ですよ
　　　（見とっても飽かんばい）　※見とって…見ていて
《高齢化社会は亡くなる人が多くなる社会でもある。富士山ば見飽かんとはよかばってん（よいけれど）、斎場の空かんのはアカンなぁ。人口が集中している首都圏ではすでにこの事態が起きている》

吸取り紙　とかけて　**鎮痛作用もある胃腸薬**　ととく
こころは　**せく時は服用にすべし**
　　　（急く時は吹くようにすべし）
　　　　　　※せく…痛い（寒気を伴うような胃腸の痛さ、代表的な博多ことばの一つ）
《書道、ペン習字などで使う吸取り紙。字を書いた半紙を早く乾かす場合などに使う。もっと早くと思う

時は、フーッと息を吹きかけるといい。腹がせいたら、やはり薬が頼り》

温泉　とかけて　**出馬をうかがう高級官僚**　ととく

こころは　**上がるまでは雌伏の次官だ**

（上がるまでは至福の時間だ）

《勝つ見通しのある選挙に出馬するには条件がそろわなければならない。がまんする時はがまんして。でも、のんびり温泉に浸かっているわけにもいかない。ライバルも虎視《こし》眈々《たんたん》と狙っている》

取材　とかけて　**坊さんの息子**　ととく

こころは　**経は幼稚でも得だね**

（今日は夜討ちでも特ダネ）

《夜討ち、朝駆けは記者取材の鉄則。努力しても他社に特ダネを抜かれることはあるが、朝駆けに続いて夜討ちで連日抜く幸運に恵まれることもまれにある。「江戸いろはかるた」に「門前の小僧習わぬ経を読む」とあります》

手帳　とかけて　**公家の姫君の輿《こし》が行く**　ととく

こころは　**京の公道を乗せとる**

（今日の行動を載せとる）

《若い人はスマホのスケジュール表に書き込んで済ましているが、中年以上はやはり手帳がないと不安になる。というわけで、年の暮れが近づくと、本屋さんにも手帳コーナーが設けられる。輿に乗っているのはどこの姫だろうか》

桃の花　とかけて　**冬を迎えたキリギリス**　ととく

こころは　**冷気に当たって降伏ばい**

（霊気に当たって幸福ばい）

《日本や中国では古くから桃には霊気があるとされ、邪気払い、厄除けに用いられた。女児の健やかな成長を祈念するひな祭りに桃の花が飾られるのもそのためらしい。「桃太郎」もこれにちなんだものではないだろうか。桃は冷やして食べるとうまい。キリギリスは成虫のままでは冬が越せない。種の定めだ》

ベンチャー企業　とかけて　**完成したピカピカのお堂**　ととく

こころは　**金造りが普請のしどころ**

（金づくりが腐心のしどころ）

《せっかく起業した先端業種の企業でもお金がないと回っていかない。当事者には商才も求められる。金ピカのお堂はご利益がありそうだと人が集まる。信者の〝苦心のしどころ〟でもある》

弁当　とかけて　**覚醒剤《かくせいざい》使用で捕まった漫才師**　ととく

こころは　**コンビにも打っとう**　※とう…ている

（コンビニも売っとう）

《芸能界、スポーツ界も巻き込んだ覚醒剤の広がりが注目を集めている。いくらコンビでも相手にまで打ってはダメだ。コンビニで売っとうとは覚醒剤ではなく弁当ですよ》

空洞　とかけて　**なかなか悟れないのが人間**　ととく

こころは　**仁者の老僕にも欲ある**

（神社の老木にもよくある）

《年をとっても断ち切れないのが欲望。食欲、物欲（金銭欲）、そして×欲。すべて「空」と悟る日が来るのだろうか。かくれんぼで空洞に身をひそめた子どもの頃を思い出す》

花言葉　とかけて　**老舗染物屋の御祝い返し**　ととく

こころは　**記念して高級な藍を送る**

（祈念して恒久な愛を贈る）

《花に意味を持たせたのが花言葉。チューリップ（赤）やバラは愛。藍で染めあげた着物も素敵ですね》

博多なぞなぞ ——解説❷

伊馬春部と「博多なぞなぞ」

懐かしいラジオ「向う三軒両隣り」

戦前・戦中生まれなら、昭和22（1947）年7月からNHKラジオで放送された連続ドラマ「向う三軒両隣り」をご記憶だろう。敗戦から2年、日本国民は喰うや喰わずの厳しい生活を強いられていた。当時はまだテレビはなく、ラジオが一般家庭の娯楽であった。明るく前向きでユーモアを盛り込んだこのドラマは国民に歓迎され、昭和28（1953）年7月まで1377回にわたって放送された。作者の1人が伊《い》馬《ま》春《はる》部《べ》（本名・高崎秀雄）であった。伊馬はバラエティー「日曜娯楽版」でも覆面作者として活躍した。福岡県の人である。

伊馬は明治41（1908）年、当時の福岡県鞍手郡木屋瀬町（旧福岡藩木屋瀬宿、現北九州市八幡西区木屋瀬）生まれ。旧鞍手中学から国学院大学に進学、国文学・民俗学の折口信夫（号、釈迢空）に師事。卒業後はムーラン・ルージュ新宿座の文芸部に在籍して「桐の木横丁」などが大当たり。のちNHKの嘱託となり、戦後にヒット作「向う三軒両隣り」を生み出した。

和歌にも通じ、昭和51（1976）年には宮中歌会始の召人となった（お題は「坂」）。その際の詠進歌は、

ふりかへりふりかへり見る坂のうへ
吾子はしきりに手をふりてをり

ペンネームは「古今和歌集」のよく知られている一句、「難波津に　咲くやこの花　冬ごもり　今は春べと　咲くやこの花」（王仁作？）にちなんだのではないかと。この「今は春べ」から「伊馬春部」にと思ったのだ。ただし、「生誕100年記念　伊馬春部展」（平成20年9～11月、北九州市立文学館）図

録によると、ムーラン・ルージュ時代は伊馬鵜平と名乗っていたが、戦後の昭和21年、折口の勧めで、万葉集にある「今更に　雪ふらめやも　かぎろひの春へと　なりなしものを」から「春部」と改名したという。

「回想のわが叔父」

伊馬には、博多と博多なぞなぞについて記した『回想のわが叔父』と題する短い文章がある。『博多なぞなぞ』（石田庄平著、石田順平編、西日本新聞社刊）の刊行に寄せたもので、同書の冒頭に掲載されている。伊馬の父と庄平（雅号・面白斎利休）は兄弟、従って伊馬と順平さんは従兄弟に当たるという間柄だ。ちなみに庄平は9歳の時、博多の石田家の養子となって転居。博多・濱小路の造り酒屋・鳥羽屋に奉公の後、茶舗経営に転じ、その後、セメント瓦製造などに従事した。その間に「博多なぞなぞ」を趣味としたのだ。

『回想のわが叔父』は「子どもの頃から、私は、博多という町が大好きだった。かぎりない憧れの町であった」に始まる。長じて文芸の道に入ると、「わが叔父の真価を悟りはじめるようにもなった」と言う。その対象が叔父が作句に取り組んだ「博多なぞなぞ」であった。そして、伊馬は好きな利久作の句に一部解釈を加えて列記する。

＊

春遊び　とかけて　**魚市場**　ととく
こころは　**コチ　フクとタコもあがる**

―つまり、東風《こち》が吹くから凧をあげている風景である。それが「魚市場」に水揚げされたコチやフクやタコと二重写しとなるところに、ユーモアがあり、諧謔《かいぎゃく》があるのである。

地獄の銀行　とかけて　**廊下のとばしり**　ととく
こころは　**飛うどりや縁まで洗う**
（頭取は閻魔であろう）

春景色　とかけて　**山吹きさし出した乙女**　ととく
こころは　**貸す蓑なかでよう気づく**
（霞の中で陽気づく）

足音　とかけて　**山寺の鐘**　ととく
こころは　**僧**　**撞《ツク》たびにひびく**

この『ソーツク（逍遥する）』という博多ことばに通ずるところがユーモアである。

年ごろ　とかけて　**盆栽道楽**　ととく
こころは　**お庭じゅうはちで花盛り**
（鬼は十八で花盛り）

文芸はＤＮＡか

これらの句は確かに名作で、私も「博多なぞなぞ」について原稿を依頼されることがあれば、よく引用させてもらっている。むろん、作句するときはこれらの作品に近づきたいと願うが、かなったことがない。

伊馬は中央に出て、作家・歌人として知られるようになったが、博多に出た叔父も地方文芸の博多なぞなぞに名を残した。木屋瀬の高崎家には「文化」を愛する血が流れていたのであろう。

生家は北九州市文化財

なお、北九州市によると、伊馬の実家の高崎家は屋号を柏屋（かねたま）といい、宿場町の町年寄役や大庄屋格にあった豪商で、幕末には板場（絞蝋業）、明治維新後は醤油製造業を営んでいたという。伊馬はその５代目。実家は木屋瀬宿の西構口近くにあり、建物は梁の墨書から天保６（１８３５）年の建築とみられ、同市が江戸時代末期の大きな商家の宿場建築物として修復。平成９（１９９７）年４月から、伊馬春部関連の資料とともに一般公開している。北九州市有形文化財。

旦那衆の文芸？

博多なぞなぞに少ない下ネタ

『ことば遊び辞典　新版』（鈴木棠三編、東京堂出版刊）には、鈴木氏（１９１１～１９９２年）らが収集した近世以後日清戦争ころまでの〝三段なぞ〟が１７６ページにわたって掲載されている。１ページに20句として約３５００句にのぼる。

それらの句をつらつらと眺めていると、性を扱ったものや女性を軽視したいわゆる〝下ネタ〟が少なからずあることに気付く。


「赤子の夜這い」とかけて「石堂丸」ととく、こころは「ちち（乳・父）をたずねる」

「梅に鶯」とかけて「後家さんのおなか」ととく、こころは「花が咲いたでとまってなく」（女やもめに花が咲く、男たちからもてはやされる。子が宿って―といった解説付き）

「掛けられた謎」とかけて「床入りの帯」ととく、こころは「とけてうれしい」

「姦通」とかけて「雷」ととく、こころは「天下（天が）晴れてはならぬ」

「京名所」とかけて「産後の女」ととく、こころは「お腹痩せ」（大原・八瀬）

「コレラ流行」とかけて「間夫のある女郎」ととく、こころは「呼ぼう（予防）呼ぼうで気をもむ」

「女郎」とかけて「へぼ将棋」ととく、こころは「金銀がなくてはさせぬ」

「乳呑み児の月代（さかやき）」とかけて「いろ同士の痴話話」ととく、こころは「寝てからする」（剃る）

貴族の教養から庶民の遊びに

「なぞ」は、元はといえば平安貴族など文字を知っている人々の文芸、言語遊戯であった。当初は〝二段なぞ〟であり、とくに鎌倉時代から室町時代にかけては『後奈良院御撰何曾』でも分かるように天皇、公家、連歌師などが教養として解き合ったという。それなりの品もあったといえよう。それが、次第に庶民に伝播していくわけだが、庶民の関心事は生活や周囲の物事であったようだ。特に性、男女関係、人間そのものへと傾斜するのも自然のことであったのではあるまいか。

ラジオ・テレビ・映画もなく、上流階級は行燈を用いていたかもしれないが、大方は暗くなれば寝るしかなかった時代を想像していただきたい。町方の最大の娯楽は、男は酒、遊郭、女は芝居ではなかったか。

研究家が「博多なぞなぞ」に注目

『ことば遊び辞典　新版』は、「博多なぞなぞ」についても触れている。編者は、「解説・なぞ」で、他の文芸・芸術と同じように江戸時代「宗師」制度があったことを紹介。その形態について、「こうしたナゾの宗師の選句を知るためには、最近刊行された『博多なぞなぞ』（石田順平編、昭和54年、西日本新聞社刊）」が参考になる」と述べて、編集した順平さんの解説「謎の会の運営の仕方」について、要約という形でかなりの字数を割いて紹介している。

さらに、『ことば遊び辞典』（旧版、東京堂出版刊、昭和34〈1959〉年）にはなかったであろう「博多なぞなぞ」の句を追加している。たぶん、順平さんの『博多なぞなぞ』からの引用であろう。

知られた句以外に5句を掲載したい。

絵馬　とかけて　**負われややの小便**　ととく　※やや＝赤ん坊
こころは　**籠りの堂に掛っとる**
（子守の胴にかかっとる）

嬉し泣き　とかけて　**福寿草**　ととく
こころは　**歓喜で目拭く**
（寒気で芽吹く）

煙の料理　とかけて　**廊下の掃除**　ととく
こころは　**白煙のちり出る**　※ちり＝ちり鍋
（**掃く縁の塵出る**）

浦島　とかけて　**充分見積もった材木**　ととく
こころは　**長い木で足ろう**
（**長生きで太郎**）

艶書　とかけて　**夏の間は砂利運び**　ととく
こころは　**小石重いで夏季送る**
（**恋し思いで書き送る**）

触れてほしかった博多なぞなぞの特徴

「博多なぞなぞ」の古い句にも〝下ネタ〟はなくはないが（現代はほとんどない）、それは2カ所以上掛からなければはならないなど制約があって難しく、また、博多の旦那衆を中心にした知的なことば遊びだったことと関係があるかもしれない。

ちなみに『ことば遊び辞典』の編者は、「博多なぞなぞ」の特徴である2カ所以上かからなければならない、できるだけ博多弁を織り込む、片言（なまり）は使わない―といった制約については何も触れていない。方言は当時としては当然であり、また、一般のなぞでも2カ所以上かかった句があるので特別なものとは思わなかったのかもしれない。ただし、現在、「博多なぞなぞ」に取り組んでいる私たちとしては、この面にも触れてほしかったと残念に思う。

博多伝統の芸能と文芸

「博多にわか」と「博多なぞなぞ」

中世以来、大陸・半島との国際貿易都市として栄えた商人の町・博多には正月行事の博多松囃子（毎年5月の博多どんたくの源流、国選択無形民俗文化財）と、夏の祭事の博多祇園山笠（国指定無形民俗文化財）という大きな二つのお祭りが伝えられ、博多どんたくはゴールデンウィーク期間中で例年全国一の200万人以上の人出を記録。また、博多祇園山笠は〝お祭り〟が初めて国の無形民俗文化財に指定された時、京都の祇園祭りなどとともに選ばれ、平成28（2016）年11月30日にはユネスコの世界文化遺産に登録された。

これらに比べると規模は小さいが、博多人は祭りの維持、遂行に取り組むと同時に、芸能としての「博多にわか」、文芸としての「博多なぞなぞ」にも勤しんできた。

「博多にわか」は福岡市文化財

まず「博多にわか」（福岡市無形民俗文化財）。福岡市内には愛好者の組織が約10団体あり、定期的に集まって練習。それぞれの地域での活動に加え、博多仁和加振興会の名の下で「博多盆仁和加大会」（毎年8月の最終日曜日）をはじめ、博多どんたく、博多祇園山笠に協賛し、その盛り上げにも一役買っている。さらに九州国立博物館や博多町家ふるさと館などでも芸を披露している。

芝居仕立ての「段ものにわか」であれ、2人で演じる「掛け合いにわか」であれ、1人で複数役をこなす「1人にわか」であれ、演者は半面を着用し、頭には「ボテカヅラ」（紙の張子の鬘）をかぶって登場。博多弁をあやつって演じ、最後には「オチ」で笑わせる段取り。筑前藩主となった黒田如水・長政父子が藩政に庶民の声を生かすため、出身の播磨国一宮（岡山県）の「悪口祭」を移入したという説もあるが、〝にわか〟と称する「即興の笑劇」は江戸時代中期の18世紀半ばに大阪、京都、江戸で流行、全国に伝播した（福岡市教委の紹介文引用）とされ、こちらの説の方が合理的で分がありそうに思える。例えそうだとしても全国的にみれば、大半が姿を消す中で、今も組織的に活動していることは評価できる。

ただし、博多仁和加振興会の会員は１００人を超えていた時代もあるが、現在は約90人で減少傾向にあり、しかも高年齢化している、他の地域出身者もいるためか、「博多弁が乱れている」（古参会員）などの課題も少なくない。

明るかった時代にちょっぴり復活

そして「博多なぞなぞ」。戦前に中断していたものが、昭和55（１９８０）年に新聞の「紙上句会」として復活。その後、新聞の休刊に伴って平成４（１９９２）年に「博多謎々の会」が結成され、今日まで続いていることは既に紹介した。当時はどんな時代であったのだろうかと、振り返ってみた。

〝60年安保〟で辞任した岸信介氏に代わって就任した池田勇人首相が、「所得倍増計画」（10年間で国民所得を2倍にする）と打ち出したのは昭和35（１９６０）年7月。いわゆる〝高度経済成長〟が本格的に始まり、途中、２度のオイルショックはあったものの、日本経済は右肩上がりで、やがてバブル絶頂を迎えた時代と重なる（バブル崩壊は平成4年というのが通説）。戦後の日本が問題を残しつつも明るく、ポジティブだった時に、「博多なぞなぞ」は水面下からちょっと顔を出したというのが私の認識である。「博多なぞなぞ」を知っている人が60、70歳代になり、中年がその存在を知り、知的関心を寄せたと思うのである。

謎々づくりには余裕が必要

「博多なぞなぞ」は時間的、あるいは精神的余裕が必要で、天才でもない限り作るのは簡単ではない。「なぞ」自体がそうである上に、2カ所以上かけなければならない。〝博多にわか〟にはその場で題をもらって演じる〝即席にわか〟という分野もあるが、オチのネタ集本というべき「オチ集」があり、ベテランならそれを暗記しておいて課題をそのオチに引っ張り込めば何とかなると聞くし、時事物ならあらかじめ見当をつけて作っておくことができる。

「博多なぞなぞ」はそれができない。とにかく課題から関係のある語彙《ごい》と、その同音異義語を頭に浮かべ、あるいは紙に書き出して、なんとかいくつもかけなければならない。それでも『フクニチ』新聞では、五つの課題に対して月数十句寄せられ、「謎々の会」初期には十の課題に100を超える句が集まった（どちらも何句でも投句できる）ことがある。やはり当時は余裕があったのだと思う。

偶然であるが、「博多謎々の会」発足とバブル崩壊の始まりはともに平成4（1992）年ということになる。それから四半世紀、時代も変わった。経済はバブル崩壊後、「失われた10年」では収まらず、「失われた20年」も過ぎ、政府はデフレ脱却を目指しているものの、成果は上がっていない。それに少子高齢化、人口の減少、富裕層と貧困層の格差拡大、非正規社員の増大などと、明るい材料が見当たらない。「博多謎々の会」も当時ベテランだった人たちのほとんどが黄泉の国に旅立ち、たまに若い人が加入しても長続きせずに退会するという状態で、会員数の減少が悩みのタネである。

笑いの文化の作る側に

一方で、全国的に若い人を巻き込んで落語ブームが起きている。10回を超えた『博多・天神落語まつり』は地方では最大の落語イベントといわれる。平成28（2016）年11月の会に例をとると、4

日間に4会場で計32公演（昼夜）、噺家は東京、上方合わせて64人というものであった。現代人が笑いを求めているのは確かであろう。これは高齢者にも、若い人にもいえるが、受け身の「笑わしてもらう」から一歩進んで、「笑わしてやろう」となれば〝博多にわか〟〝博多なぞなぞ〟にも追い風になるかもしれない、と思いたいが―。

博多なぞなぞの親戚筋

「はかたかけ言葉」

〝かける〟という点では〝なぞなぞ〟の親戚といえるものに「かけ言葉」というのがある。博多では例によって「博多」を付けて「博多かけ言葉」という。郷土史家の波多江五兵衛さん（故人）が『博多ことば』（1970〈昭和45〉年、私家版）の後半で「その発生の詮索はさておいて、ともかく、博多で通用しているものを竝べてみることにしました」と44本を紹介している。今では問題になりそうな言葉も交じっているが、ここでは分かりやすい言い回しのものを列記しておきたい。一部に筆者が整理したものがある。

○牛の小便　尾邪魔ィなっとる（お邪魔ぃなっとる）
○箱崎大根　かけ声（かけ肥）ばッかり
○坊主の頭　言うた（結うた）こたァなか
○砂地の小便　たまらんたまらん
○玄界の雷　北鳴り（着たなり）
○金づちの川流れ　頭ァ上がらん

〇うどん屋の喧嘩　そばが迷惑
〇聖福寺の入口　山門（三文）もなか
〇お寺の家移り　墓のいきよる（はか＝能率）

箱崎大根

現在でも比較的使われるものに「箱崎大根」がある。自分でやらずにやたらかけ声をかける人に、陰で「あん人、箱崎大根やね」「うふふ」。古い博多人ならこれで通じる。現代人にはさて―。九州大学跡地利用が課題になっている箱崎一帯はかつて野菜の産地だった。

また、「言うたことがない」ことを責められたら「おれ、坊主の頭ばい」。口論の仲裁に入って「うどん屋の喧嘩はやめときない」。今時は通じないかもしれない。そんな時は「そばが迷惑たい」って説明してあげてみてください。

波多江さんは同書で「『うどん屋の釜で、湯（言う）ばかり』といったカケ言葉は大阪で作られました」「前田勇氏の『浪花しゃれことば』という本に、大阪カケ言葉が集められていますが、その中に博多で使っているものと同じものが、いくつか出ています」と書いている。『浪花しゃれことば』（むさし書房）は昭和30（1955）年に刊行されている。博多の文化、芸能は、江戸時代は上方（大阪、京）、明治維新後は東京の影響を受けており、『博多かけことば』は大阪のカケ言葉を参考に作ったり、博多に合うようにアレンジしたり、あるいはそのまま拝借したのではないだろうか。

難しい時代だからこそ笑いを

〝笑い〟の少ない現代日本

「笑い」に対する需要は多い。昔から笑う門には福来る、と言う。また、（若い女性は）箸が転んでもおかしい、とも言う。笑いは脳を活性化して高齢者のぼけ防止になるらしい。できれば人生、笑って過ごしたいものだ。

しかし、実際には笑えないことばかり。第一、社会がよろしくない。気が付くと少子化で周囲には子どもがいない。子どもの笑い声が聞こえてこない。逆に増えるのはお年寄り（私もその仲間）ばかりで、彼らの関心事と言えば今後の生活と健康問題。一昔前、１００歳を超える双子のおばあさんが話題となり、かなりの頻度でテレビ出演した。「ギャラは何に使いますか」と聞かれた、どちらのおばあさんかは忘れたが、「老後の蓄えに」と答えた。「もう十分に老後ではないか〜」と笑ったが、「余生」なんて言葉が死語に近い現実を無意識のうちに表現したとも思え、笑い声が止まった。

ひどい経済格差

経済的格差もひどい。一億総中流社会はどこに行ってしまったのだろうか。格差に拍車を掛けているのが非正規社員の急増。低賃金に抑え込み、会社の都合で、期限がくれば、たばこでは禁止されているのにポイ捨て。結婚しない、あるいはできない若者が増え、従って子どもは逆に減るというのが現実。原因はそればかりではないが、大部分が社会を反映（繁栄ではない）していると思う。しかも、デフレ脱却による景気上昇を狙った「アベノミクス」はどうやら行き詰まりの様相で、国民の間で期待がしぼんできている。

地球環境も悪化

第二に政治もよろしくない。自然現象には逆らえないが、現在の気候変動は人間の生産活動により二酸化炭素（CO2）などが大気中に多量に放出された結果なのである。南太平洋の島々の中には既に海水にのみ込まれそうになっているところもあるのに対策は遅々として進まない。

人類間の争いは相変わらずだ。食物連鎖の頂点に立つ人類は他の動物に食べられる心配がないためか、仲間同士で殺し合っているのかもしれないと思うほど。中東、アフリカなどで緊張が続き、多数の難民が出て、その一部は危険を承知で船で地中海を渡ってヨーロッパを目指す。目的地に着いた人々は運がいいほうで、途中、船の転覆などで死んだ難民は数知れずの事態。

再び「富国強兵」？

日本周辺に目を転じると、発展途上国と主張していた中国が、今や自らを大国と強調し、海洋に進出。北朝鮮は〝金王朝〟が3代目となり、強国を目指して国際世論を無視して核実験、ミサイル実験を繰り返し、国内では暗殺・処刑と恐怖体制を敷いている。米国と北朝鮮の交渉は開かれたものの行き詰まり。日韓関係も最悪。日本といえば安倍首相は旧長州出身らしく、明治維新後のスローガン「富国強兵」が忘れられないようで、安保法制の制定、軍事力の増強と自衛隊の活動範囲の拡大で、国際的発言力の強化と〝自主憲法〟制定を目論んでいる。笑ってはおられないのだ。

面白くないバラエティー番組

という現実を踏まえてか、テレビはバラエティー番組の花盛り。少しでも明るくしたいとの局側の意図が分からなくもないが、画面ではお笑い芸人とかタレントとか称する連中がワイワイがやがや。

自ら大口を開けて笑い、スタッフの笑いか、録音済みの笑いのテープを流して場を盛り上げ、それを視聴者に〝伝染〟させようという狙いらしい。でも、ちっとも、なーにもおかしくない。ドラマやドキュメントなどを作るより安く済むという利点もあるのだろう。で、すぐにリモコンに手が伸びるという次第。そういえば喜劇、喜劇役者という言葉も久しく聞かないなぁ。

なぞなぞは頭の体操

「博多なぞなぞ」へのお誘い

〝なぞなぞ〟は和歌、連歌、俳句、川柳などにつらなる日本の伝統的な文芸である。そういえば堅苦しく聞こえるが、「なぞ遊び」ということばもあるように遊びの面も持ち合わせている。博多に伝わる「博多なぞなぞ」もそうしたものの一つである。

「博多謎々の会」の会員になってもらおうとして知人らを誘うことが少なくない。一応、サンプルを見せ、最低、2カ所かかればいいからなどと説明すると、「わぁ、難しか」とほとんどの人がしり込みしてしまう。

今の日本人は「笑い」に飢えている。博多（福岡市）も同じで、あちらは芸能に分類されるものの、兄弟ともいえる「博多にわか」には公民館や老人施設のほか、パーティーなどからお声がかかる。半面を付け、ボテカヅラを被って博多弁で「一人にわか」「掛け合いにわか」、あるいは会場で課題をもらっての「即席にわか」を披露し、オチが決まれば笑いが起こる。オチを引き出すまでには苦労もあろうが、やりがいがあるに違いない。

含み笑い程度かもしれないが〜

それに比べると、「博多なぞなぞ」は地味だ。最低、2カ所かかればOKなのだが、ベテランでも課題によっては1日〝かかって〟もかからない場合もある。一方、調子のいい時はあっさり3カ所も4カ所もかかることもある。公民館や老人施設などから時たま講演依頼が舞い込むが、「基本的には文芸（文字で表すもの）で、句を詠んで理解してもらえるかどうか。即席はまず無理です」などと答えると、大概、依頼を取り消すことになってしまう。笑いはあっても無邪気には笑えない、含み笑い程度が「博多なぞなぞ」の笑いであろう。

現代人は「笑う」ことを求めているが、一歩進んで「笑わせる」側になってみたらいかがだろうか。「博多にわか」でも、「博多なぞなぞ」でもいいと思う。

「残暑」という題なら、

残暑　とかけて　**佐賀牛のステーキ**　ととく
こころは　**飽きの来んごたる**
（秋の来んごたる）

といった具合に1カ所かかる句を作ってトレーニング。慣れてきたら2カ所以上に挑戦すればいい。

「**厚かけん飽きの来んごたる**」
（暑かけん秋の来んごたる）

作り方については先に紹介している。とにかく〝とき〟は後回しにして、題からいろんな言葉とその同音異義語を書きだして、こころを考えてみましょう。むろん、1人でやっても構わないが、句会に出てみんなの作品を見聞しながら、比較して見るのはいかがでしょうか。

【付録　博多ことば集】

（現在も使われているものを中心に。古語に分類されることばが語源で、他の地域にも残るものを含む）

【あ】

○愛しとう　愛している
○あいたぁ　痛い
○あいなか　間（あいだ）
○あかん　開かない、空かない、飽かない
○あがしこ　あれほど、あれだけ
○あぐる　吐く
○あげくのさんぱち　挙げ句の果て
○あげな　あんな
○あげん　あのような
○アゴ　トビウオ
○あごたんのきく　おしゃべり
○あじもこうけもなか　なんの味わいもない
○あずのきれん　縁がきれない、ふっきれない
○あすぶ　遊ぶ
○あせくる　かき回す
○あたき　私
○あったとい　あったのに
○あっぱらぱん　開けっ放し
○あねざん　姉さん
○あばける　化膿する
○あぱんと　ぽかんと
○あぶってかも　スズメダイ
○あぶらむし　ゴキブリ、員数外の人
○あぽ　大便、うんこ
○あぽたれ　ばかもの
○あらかた　おおよそ
○あらけなか　荒っぽい、大ざっぱ
○ありなんこ　ありのまま
○〜あるけん　〜あるから
○あんしゃん　兄さん
○あんたくさ　あなたは
○あんばいの悪か　調子が悪い、都合が悪い

【い】

○いいちらかす　言いふらす
○いいよんなざる　おっしゃっている
○いがく　ゆがく
○いかっしゃる　行かれる
○いかもんぐい　悪食、変った趣味
○いがんどる　ゆがんでいる
○いきない　行きなさい
○いくけん　行きますから
○いけどうろう　箱庭
○いける　植える、埋める
○いさぎょう　とても、ものすごく
○いさぶる　揺さぶる
○いたらんこと　余計なこと
○いっしょんたくり　ごちゃまぜ
○いっちょん　ちっとも
○いつでちゃ　いつでも
○いなう　担う、背負う
○いぼる　ぬかるむ
○いもうら　いもり
○いれくる　誤魔化す
○いんにゃ　いいえ

○いんま　いつか、今に

［う］

○うち　私
○うちばたかり　内弁慶
○うちんとばい　私のものよ
○うっかかる　寄りかかる
○うったたく　叩く、殴る
○うてあう　相手になる
○うどぐらか　薄暗い
○うまみなか　おいしくない
○うろん　うどん

［え］

○ええしこ　いいだけ
○ええまんじ向いとう　そっぽ向く
○えしれんごと　得体のしれないこと
○えずか　恐ろしい、怖い
○えらい　大そう
○えんばり　クモの巣

［お］

○おいしゃん　おじさん
○おおじょうこいとる　困り果てている
○おうどうもん　横着な人
○おおけのある　量が多い
○おおまん　おおまか、いいかげん、大ざっぱ
○おきあげ　押絵
○おきうと　海草でつくった名産食品
○おごる　怒る、振る舞う
○おしこみ　押し入れ
○おぞむ　目が覚める
○おっせしこっせし　押したり引いたり
○おてる　落ちる
○おとこし　男たち
○おなごし　女たち
○おらぶ　叫ぶ
○おらん　居ない
○おりょりょ　おやおや
○おろよか　あまりよくない

［か］

○かいかいと　明るく
○かいる　帰る
○かかざん　女房
○かきぼう　牡蠣
○舁（か）く　担ぐ
○かごむ　かがむ、しゃがむ
○かたかた　不揃い
○かたから　はじめから
○かたくま　肩車
○かたこしぬぐ　力を貸す
○かたる　加わる
○がちゃぽん　食い違う
○かってりごうし　代わる代わる
○～がっしゃい　～なさい
○がっぱり　がっかり
○かべちょろ　やもり
○かます　しかける
○がめ煮　筑前煮
○かやす　返す
○がらるる　叱られる
○かろ　角（かど）
○かんまん　かまわない

［き］

○きぃ　おいで
○きいちゃりぃ　聞いてください

○きさん　きさま、おまえ
○きすご　キス（魚）
○ぎち　土間
○きつか　疲れた
○きないろ　黄色
○きびる　くくる
○きやい　来い
○ぎょうらしか　大げさな、ぎょうぎょうしい
○きんしゃい　来てください
○ぎんだりまい　てんてこ舞い

［く］

○くえる　欠ける、くずれる
○〜くさ　〜ですね、〜ね
○くじる　いじる
○ぐぜる　ぐずぐず言う、うだうだ言う
○くちなわ　ヘビ
○くねる　くじく
○くびる　縛る、結ぶ
○くべる　（薪などを）加える、燃やす
○くらす　殴る
○ぐらぐらこく　腹が立つ、むかつく
○くるぶ（む）く　うつむく

［け］

○けあう　同じくらい、同等くらい
○げさくな　下品な
○けたくそのわるか　縁起が悪い
○げってん　へそ曲がり、偏屈者
○〜げな　〜だそうだ
○けやす　消す
○けわしか　忙しい、厳しい
○〜けん　〜から、〜だから

［こ］

○こうかる　威張る、なまいき
○こうぞう　フクロウ
○コウトウネギ　細い青ネギ
○こうてこう　買ってこよう
○こかす　転ばす
○こがしこ　これだけ
○こく　言う
○こくな　言うな
○こげん　このように
○ごさい　おかず
○こさえる　つくる、こしらえる
○ござるな　在宅ですか
○こずく　咳をする
○こそぐる　くすぐる
○ごたる　ようだ
○ごっかぶり　ゴキブリ
○ごっちん　硬いご飯、半煮えご飯
○〜こて　こと、〜ねばならない
○こまい　小さい
○こまめる　小さな単位のお金に替えてもらう
○ごねる　困らせる、死ぬ
○ごりょんさん　商家の奥さん
○こわる　凝（こ）る
○こんこん　たくあん

［さ］

○〜さい　〜へ
○さいぜん　さきほど
○さいたらまわす　おせっかいをする
○〜さっしゃる　〜なさる
○さっち　必ず、どうしても
○さっぱそうらん　大騒ぎ

○さるく　歩く
○さんぎょうし　竹馬
○さんにょう　勘定、計算

【し】
○〜じぇ　〜ぜ
○しかしかと　ちゃんと、しっかりと
○しかともない　つまらない
○しかぶる　もらす（小便）、やりそこなう
○〜しきる　〜できる
○しけとる　つまらない
○舌のまめる　舌がよく回る
○したむなか　したくない
○〜してつかぁさい　〜してください
○〜してんない　〜してみなさい
○しなべとる　しおれている
○しなんな　しないで
○しまえる　終わる
○しゃあしか　うるさい、気ぜわしい
○しゃばか　弱い
○しゃっちむっち　強引に
○しょうがなか　しかたがない
○じょうしき　ききわけがない、強情
○じょうもん　美人
○しりのはげとる　うそがばれている
○しれーと　知らないふりして
○しろしか　うっとうしい、わずらわしい、やりきれない
○しわごんちゃく　しわだらけ
○じわ〜っと　じわじわと
○しんしゃる　しなさる

【す】
○すいとう　好き
○すける　置く、補助する
○すざる　（後ろに）さがる
○すたく　大ざっぱ
○すったり　さっぱり、だめだ、全くとう
○すつる　捨てる
○すどか　鋭い
○すびく　寒さ、冷たさ、こたえる
○すらごと　うそ
○すわぶる　しゃぶる
○ずんだれ　だらしがない様
○すんまっせん　すみません、ありがとう

【せ】
○せからしか　うるさい、忙しい、気ぜわしい
○せく　腹が痛い、閉める
○せせくる　いじり回す、つつき回す
○〜せにゃこて　〜するとも
○せびる　ねだる
○ぜんしょう　むずがる
○〜せんのいて　〜せずにおいて
○せんぺい　せんべい

【そ】
○そうくさ　そうだろう、そうね、そうでしょう
○そうしやい　そうしなさい
○そうたい　その通り、そうだろう
○ぞうたんのごと　冗談じゃない、そんなばかげたこと
○そうつく　歩きまわる
○ぞうのきりわく　腹が立つ
○そげなこつ　そんなこと
○ぞこぞこする　悪寒がする

○そぜる　（衣類などが）いたむ
○ぞろびく　（着物などの裾を）引きずる

［た］

○～たい　～だ、～だね
○たいていのもんばい　ひどいヤツだ
○たがえる　違える
○たかもん　サーカス
○たけのぽんぽん　竹筒
○たご　手桶、桶
○だご　団子
○だごにする　袋叩きにする
○たっしゃな　上手な
○たっぱのよか　体格がいい
○だまくらかす　だます
○たまがる　たまげる、驚く
○だまごと　うそ
○だらくさな　だらしがない様、ずぼらな
○だらしか　だるい
○だんだん　ありがとう
○たんねる　尋ねる

［ち］

○ちいっとばかり　少しばかり
○ぢご　内臓
○ちったぁ　少しは
○ぢべた　地面
○ちゃっちゃくちゃら　めちゃくちゃ
○ちゃ～らん　だめだ、してはいけない
○ちゃんと　うっかり、つい、すっかり
○ちゃんぽん　ガラスの玩具（ビードロ）
○ちゃんぽんふく　いいかげんなことを言う
○ちょうくらかす　冷やかす
○ちんくそ　幼い時からの友達
○ちんちろまい　あわてふためく

［つ］

○つあぁらん　いけない、悪い
○つくじる　つつき回す
○つののく　気がすっきり
○つんぐりまんぐり　やりくり
○つんのうて　一緒に
○つんなぐ　（手を）つなぐ

［て］

○て～がってい　おお（軽い驚き）
○でける　できる
○て～しょうもかなわんな　できもしないのに
○てすりこんぼう　平身低頭
○てなんかけ　そこそこ
○てのごい　てぬぐい
○でべそ　外出好き
○てれんぱれん　ぶらぶらして何もしない様
○てんとうばえ　野生の植物
○てんてろや～すう　気やすく、たやすく

［と］

○～と　～の、～のもの
○～と？　～のか
○～とい　～のに
○どうしこうし　どうにか
○どうじゃろかい　どうしたものであ

ろうか
○とおか　遠い
○とおりもん　通り物（博多どんたくの山車など）
○どがしこ　どれほど、どれだけ
○どげん　どのように、どんなに
○どしれんごと　途方もないこと
○とっけもなか　とんでもないこと、法外な
○とっちゃりぃ　取ってください
○とっとうと　取っている
○ととさん　お父さん
○～とば　～のを
○どべ　最後尾
○どやす　怒鳴る
○どれしこ　どれだけ
○どんたく　休日、博多どんたく港まつりの略
○どんど焼き　左義長
○とんびとんび　とびとび
○とんとん　息子（武士の子）

【な】
○～ない　～なさい
○なおす　しまう、収納する
○～なか　～ない
○ながひょろい　細長い
○なからな　なければ
○なして　どうして
○なんかける　立てかける
○なんかなし　とにもかくにも
○なんこむ　投げ込む
○なんかかる　もたれかかる、寄りかかる
○なんちゅうこと　なんということ

【に】
○にき　きわ、そば（近く）
○にぎり　けち（けちな人）
○にくじゅう　いたずら
○にっちもさっちも　押しても引いても

【ぬ】
○ぬくい　温かい
○ぬすくる　塗りつける
○ぬべる　ぬるくする
○ぬるめる　ぬるくする
○ぬれっと　ぬるりと

【ね】
○ねずむ　つねる
○ねこじんじゃく　うわべ、気がねのない遠慮
○ねこまたごっつおう　まずい料理
○ねじける　ひねくれる
○ねじもこんじもならん　どうにも動かない
○ねぶりかぶる　ぐっすり眠る、眠りこける
○ねぶる　なめる
○ねまる　腐る

【の】
○のうならかす　失う、なくす
○のたくる　うろうろする
○の～て　違って
○のふうぞう　横着な
○のぼせもん　夢中になる人

【は】

○～ばい　～のだ（よ）
○はかのいく　はかどる、能率があがる
○はくせん　くしゃみ
○博多手一本　手締め
○はげあめ　豪雨（梅雨末期の雨）
○ばさらか　大いに、非常に
○～ばし　～かのように
○はすはす　ぎりぎり
○ばってん　しかし、～でも
○はねごし　たらい回し
○はらかく　腹が立つ
○はる・ばる　はら（原）
○はわく　掃く
○ばんこ　縁台
○はんたでこざっしょ　忙しいでしょう

【ひ】

○ひいくらべ　根くらべ
○ひいのつよか　頑張りがきく
○ひかちこうける　干からびる
○びき　カエル
○ひざぼんさん　ひざがしら
○ひだるか　ひもじい
○びちゃ　泥
○びっしゃげとる　押しつぶされている
○びったり　不精な人
○ひなたぶくろ　ひなたぼっこ
○ひぼ　ひも
○ひょうげもん　ひょうきん者
○ひょうげる　おどける
○ひょこっと　ひょっこりと、突然に
○ひらくち　マムシ
○ひわず　虚弱
○ひんまげる　ひどく曲げる
○ひんもせせらもなか　態度がお粗末

【ふ】

○ふ　うん（運）
○ふうたんぬるか　ぐずぐずする、のろま
○ぶげんしゃ　金持ち
○ぶすくれる　すねる、ふてくされる
○ふせる　（着物の破れを）つくろう
○ふて～がってい　おお（軽い驚き）
○ふとらかす　育てる

【へ】

○へこたれ　のろまな人
○べた　そば（近く）
○べっこう　へど（反吐）
○へっぱく　へらず口、むだ口
○へんちく　変わり者

【ほ】

○ほうけんぎょう　左義長
○ぼうすくてい　間抜け
○ぼうぶら　カボチャ
○ほうまんからうしろとび　思い切った行動
○ほがす　穴を開ける
○ほからかす　捨てておく
○ほたらかす　放っておく
○ぽち　祝儀
○ほとめく　ごちそうなどで歓待する
○ほ～べんた　ほお（頬）
○ほんなことぃ　本当のことに

○ほんばしら　中心になる人

【ま】

○まいかけじょうもん　働く姿が美しい女性
○ますぼり　へそくり
○またごす　またぐ
○まちっと　もう少し
○まどう　弁償する
○まばいか　まぶしい
○まる　小便をする
○まん　うん（運）
○まんぐる　ちょろまかす

【み】

○みかけぼうぶら　虚勢の人、見かけ倒し
○水炊き　とりなべ
○みたむなか　みっともない
○見なこて　見るとも
○みのもんじゃく　もじもじする、身をよじらせる、もんもんとしている
○みよってんない　見ていてくれ

【む】

○むごう　非常に
○むすめんじょう　娘さん
○むてんぱち　無作法
○むっちん　素っ裸（男）
○むやみちゃんちゃん　やりっぱなし
○むりやっこう　無理に

【め】

○～めい　～まい
○めっちょう　メス、女性
○めのこざんによう　おおざっぱな計算
○めのしょうがつ　目の保養
○めんかぶる　合わせる顔がない

【も】

○～もう　～みよう
○もっつら　念入り、ぐずぐずする
○ももじり　落ち着きのない
○ももくる　いじり回す
○もやい　共用する
○～もん　～もの

【や】

○～やい　～なさい
○やおい　軟らか
○やおいかん　難渋する
○やおつり　引っ越し
○やくやく　くれぐれも
○やけはた　やけど
○やじらみ　アオダイショウ
○やってかます　やってのける
○やっぱぁ　やはり
○やま　山笠
○～やりぃ　ちょうだい
○やりかぶる　やりそこなう
○やんぎもんぎ　やきもき、いらつく

【ゆ】

○ゆっつら　ゆったり
○ゆりなり　楕円形（ゆがんだ形）
○ゆるっと　ゆっくりと

【よ】

○よい（呼びかけ）　おい、やあ
○よか　いい、よい
○よかしこ　好きなだけ

○よかな　いいかい
○よがむ　ゆがむ
○よくる　よける
○よこう　休む
○よござす　いいですよ
○よさり　夜
○よしれんごと　とんでもないこと
○よめあざ　そばかす
○よめご　女房
○〜よる　〜いる

【ら】

○らいしん　来年
○らます　だます

【る】

○るすごと　主人の留守中にご馳走を食べること

【れ】

○れんこんくう　先を見通して意気に振舞うこと

【ろ】

○ろうかいな　どうでしょうか

【わ】

○わかりめぇ　分からないだろう
○わきあがる　のぼせ上がる
○わくろう　ガマ
○わやくちゃ　めちゃくちゃ
○わらかす　割る、笑わす
○わんぎする　曲げる

【ん】

○ん（う）だごとしとる　知らぬ顔をしている
○ん（うん）なら　さようなら、それなら

あとがき

「インテリの遊びですなぁ」。もう25年も定期的に健康診察を受けている、今ではホームドクターという そうだが、その65歳を過ぎたお医者さんがニコッと笑って言った。インテリなんて言葉は、最近はあまり 聞かないなぁ、と思ったが、悪い気はしなかった。

実は、3カ月前、ひょんな会話から、「博多なぞなぞ」の自作の10句を渡していたのだった。その時も 受診中であったが、話がそれて雑談となり、「博多なぞなぞという遊びをやっているんですよ」と私。「どんなもの?」とドクター。で、持ち合わせていた10句を書き留めていた一枚紙を差し出した。それにしばらく目を落としていたお医者さんは顔を上げて「これは面白い。この紙を拡大して病棟の壁に貼ったら、入院患者さんが喜びそうだ」。

壁に貼ったかどうかは知らない。そして今回、新たな10句ができたので、受診後に「次の句ができたので、もらっていただけますか」と、患者らしく下手に出た。すると、「あ〜あ、いただきますよ」と手を伸ばすと同時に発したのが、冒頭のセリフだった。

これまでも述べている通り、「博多なぞなぞ」は、形式としてはご存じの「〇〇〇とかけて△△△ととく、こころは□□□」という、いわゆる課題を受けてとく〝三段なぞ〟と変わらない。ちょっと異なるのが「こころが2カ所以上かかること」「できるかぎり博多ことばを織り込むこと」などの約束ごとがある点だ。この約束ごとで愛好者は頭を悩まされる。ドクターの「インテリの遊びですなぁ」という言は面はゆいながらなかなか鋭い。そう簡単にはできないということを理解しておられるからだ。

この遊びがどこまで遡れるかは分からないが、明治・大正期は博多の商家の旦那さんたちが盛んに興じていたことは確かである。そういう意味では当時は知識人の遊びと言えなくもない。しかし、相当の教育を受けている今の人ならなぞなぞをとく十分な能力や語彙を持っており、誰でもやる気になればやれると思う。何かと忙しい現代人が継続的にやる気になるかどうかだ。

とくにもの忘れが気になる中高年層には〝頭の体操〟になることは請け合いだし、働き盛りには言葉の〝引き出し〟が増えるとともに、ひらめき力も磨かれ、仕事にもプラスになると思う。

掲載の句は、「博多謎々の会」に出題された課題をといて投句したものの中から選んだ。われながら下手な句だなぁと恥入る句（苦）もある。政治や社会などが袋小路にあって笑いが少ない現代の日本社会。大笑いでなくともニヤリとしていただけるだけでも喜びとするところだ。

末尾ながら博多謎々の会の発足時からお世話をしていただいている岡部定一郎、松崎真治、松尾清美各先輩に敬意を表するとともに、イラスト担当の高平歓治氏に感謝申し上げます。

また、出版にあたっては西日本新聞社の末崎光裕氏に迷惑をおかけしました。ありがとうございます。

令和二年元旦

保坂　晃孝（若久亭団地）

参考文献
『博多なぞなぞ』（石田順平編、西日本新聞社刊）
『なぞの研究』（鈴木棠三著、東京堂出版刊）
『なぞなぞ』（渋谷勲編、講談社文庫）
『ことば遊び辞典』（鈴木棠三編、東京堂出版刊）
『後奈良院御撰何曾』（「群書類従」 第28輯 訂正三版）
『博多ことば』（波多江五兵衛著、私家版）
『福岡歴史探検』（福岡地方史研究会編、海鳥社刊）
『博多中洲ものがたり』（咲山恭三著、文献出版社刊）など

著者
保坂晃孝（雅号・若久亭団地）
1942年福岡市生まれ。同志社大卒。フクニチ新聞記者、佐賀新聞論説委員、西日本新聞編集企画委員。在職中から博多を重点的に取材。現在も郷土史研究に従事。博多を語る会、博多謎々の会、叢匠会会員。編纂・執筆に『博多祇園山笠振興会記念誌（30、40、50、60周年）』。著作に『おっしょい！山笠　石橋清助聞書』、共著に『博多　旧町名歴史散歩』『博多祇園山笠大全』（いずれも西日本新聞社刊）など。

本書の制作にご協力いただきました、ねづっち様、ならびに
プロデューサーハウスあ・うん 関口雅弘様に
深く御礼申し上げます。（西日本新聞社）

文芸　博多なぞなぞ

2020年1月1日　初版第一刷発行

著　者……保坂晃孝
発行者……柴田建哉
発行所……西日本新聞社
〒810-8721 福岡市中央区天神1-4-1
TEL 092-711-5523 FAX 092-711-8120

ISBN978-4-8167-0978-4 C0076